A CABEÇA BEM-FEITA

Outras obras do autor pela Bertrand Brasil:

Ciência com consciência

Meus demônios

Amor, poesia, sabedoria

A cabeça bem-feita

A religação dos saberes

O mundo moderno e a questão judaica

Filhos do céu [coautoria com Michel Casse]

Cultura e barbárie europeias

Meu caminho

Rumo ao abismo

Edwige, a inseparável

O caminho da esperança [coautoria com Stephane Hessel]

A via

Como viver em tempos de crise?

Minha Paris, minha memória

Conhecimento, ignorância, mistério

É hora de mudarmos de via: lições do coronavírus

Liçoes de um século de vida

Edgar Morin

A CABEÇA BEM-FEITA

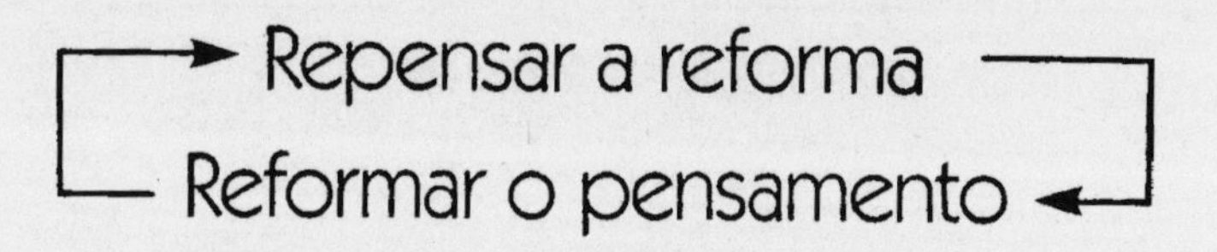

29ª EDIÇÃO

Tradução
ELOÁ JACOBINA

Rio de Janeiro | 2025

Título original: *La Tête Bien Faite - Repenser la réforme, réformer la pensée*

Capa: Simone Villas Boas

2025
Impresso no Brasil
Printed in Brazil

CIP-Brasil. Catalogação-na-fonte
Sindicato Nacional dos Editores de Livros, RJ.

M85c
29ª ed.

Morin, Edgar, 1921-
A cabeça bem-feita: repensar a reforma, reformar o pensamento / Edgar Morin; tradução Eloá Jaconiba. – 29ª ed. – Rio de Janeiro: Bertrand Brasil, 2025.

128p.

Tradução de: La tête bien faite

Anexos

ISBN 978-85-286-0764-2

1. Educação – Ensaios. 2. Educação – Filosofia. I. Título.

00-0511

CDD – 370.1
CDU – 37.01

EDITORA BERTRAND BRASIL LTDA.
Rua Argentina, 171 – 3º andar – São Cristóvão
20921-380 – Rio de Janeiro – RJ
Tel.: (21) 2585-2000

Atendimento e venda direta ao leitor:
sac@record.com.br

Este livro é dirigido a todos,
mas poderia ajudar
particularmente professores e
alunos. Gostaria de que estes últimos,
se tiverem acesso a este livro, e
se o ensino os entedia, desanima,
deprime ou aborrece, pudessem utilizar
meus capítulos para assumir
sua própria educação.

SUMÁRIO

PREFÁCIO

"Gostaria tanto de perseverar em minha educação puramente humana, mas o saber não nos torna melhores nem mais felizes. Sim! Se fôssemos capazes de compreender a coerência de todas as coisas! Mas o início e o fim de toda ciência não estão envoltos em obscuridade? Ou devo empregar todas estas faculdades, estas forças, esta vida inteira, para conhecer tal espécie de inseto, para saber classificar uma determinada planta na série dos reinos?"

KLEIST, *Lettre à une amie* (Carta a uma amiga)

DURANTE OS ÚLTIMOS dez anos, desenvolvi uma linha de idéias que me conduziria a este livro. Cada vez mais convencido da necessidade de uma reforma do pensamento, portanto de uma reforma do ensino, aproveitava diversas oportunidades para refletir sobre o assunto. Por sugestão de Jack Lang, então ministro da Educação na França, enunciei "algumas anotações para um *Emílio** contemporâneo". Imaginara um "manual para alunos, professores e cidadãos", projeto que não abandonei. Depois, por ocasião de várias palestras e vários *honoris causa* em faculdades estrangeiras, inseria em meus discursos minhas idéias em formação.

Comecei a formular meu ponto de vista em meados 1997, quando fui chamado por *Le Monde de l'éducation* para ser o "correspondente-chefe convidado" do número sobre a Universidade. No

* Referência a *Emílio, ou da educação*, de Jean-Jacques Rousseau, Bertrand Brasil. (N. da T.)

dezembro seguinte, o ministro Claude Allègre pediu-me para presidir um "Conselho Científico" destinado a refletir sobre a reforma dos saberes nos ginásios. Graças ao apoio de Didier Dacunha-Castelle, organizei algumas jornadas temáticas[1], que me permitiram demonstrar a viabilidade de minhas idéias. Mas elas levantaram tantas resistências, que o relato referente a minhas proposições ficou prejudicado de ponta a ponta.

Entretanto, meu pensamento entrara irrevogavelmente em ação, e com ele prossegui neste trabalho, que é o seu resultado[2].

Tencionei começar pelos problemas que acreditava serem, ao mesmo tempo, os mais urgentes e os mais importantes, e indicar o caminho para analisá-los.

Tencionei começar pelas finalidades e mostrar como o ensino — primário, secundário, superior — podia servir a essas finalidades.

Tencionei demonstrar como a solução dos problemas e sua submissão às finalidades deveriam levar, necessariamente, à reforma do pensamento e das instituições.

Os que não me leram e julgam-me segundo o "disse-me-disse" do microcosmo atribuem-me a idéia bizarra de uma poção mágica, chamada complexidade, como remédio para todos os males do espírito. Ao contrário, a complexidade, para mim, é um desafio que sempre me propus a vencer.

Este livro é dedicado, de fato, à educação e ao ensino, a um só tempo. Esses dois termos, que se confundem, distanciam-se igualmente.

"Educação" é uma palavra forte: "Utilização de meios que permitem assegurar a formação e o desenvolvimento de um ser humano; esses próprios meios". (Robert) O termo "formação", com suas conotações de moldagem e conformação, tem o defeito de ignorar

---

[1] O relato dessas jornadas foi publicado sob o título *Relier les connaissances*; Seuil, 1999.

[2] Agradeço a Jean-Louis Le Moigne e Christiane Peyron-Bonjan, que contribuíram com suas observações críticas na releitura de meu manuscrito.

que a missão do didatismo é encorajar o autodidatismo, despertando, provocando, favorecendo a autonomia do espírito.

O "ensino", arte ou ação de transmitir os conhecimentos a um aluno, de modo que ele os compreenda e assimile, tem um sentido mais restrito, porque apenas cognitivo.

A bem dizer, a palavra "ensino" não me basta, mas a palavra "educação" comporta um excesso e uma carência. Neste livro, vou deslizar entre os dois termos, tendo em mente um ensino educativo.

A missão desse ensino é transmitir não o mero saber, mas uma cultura que permita compreender nossa condição e nos ajude a viver, e que favoreça, ao mesmo tempo, um modo de pensar aberto e livre.

Kleist tem muita razão: "O saber não nos torna melhores nem mais felizes."

Mas a educação pode ajudar a nos tornarmos melhores, se não mais felizes, e nos ensinar a assumir a parte prosaica e viver a parte poética de nossas vidas.

Capítulo I

OS DESAFIOS

> "Nossa Universidade atual forma, pelo mundo afora, uma proporção demasiado grande de especialistas em disciplinas predeterminadas, portanto artificialmente delimitadas, enquanto uma grande parte das atividades sociais, como o próprio desenvolvimento da ciência, exige homens capazes de um ângulo de visão muito mais amplo e, ao mesmo tempo, de um enfoque dos problemas em profundidade, além de novos progressos que transgridam as fronteiras históricas das disciplinas."
>
> Lichnerowicz

HÁ INADEQUAÇÃO cada vez mais ampla, profunda e grave entre os saberes separados, fragmentados, compartimentados entre disciplinas, e, por outro lado, realidades ou problemas cada vez mais polidisciplinares, transversais, multidimensionais, transnacionais, globais, planetários.

Em tal situação, tornam-se invisíveis:

— os conjuntos complexos;

— as interações e retroações entre partes e todo;

— as entidades multidimensionais;

— os problemas essenciais.

De fato, a hiperespecialização[1] impede de ver o global (que ela fragmenta em parcelas), bem como o essencial (que ela dilui). Ora,

[1] ... ou seja, a especialização que se fecha em si mesma sem permitir sua integração em uma problemática global ou em uma concepção de conjunto do objeto do qual ela considera apenas um aspecto ou uma parte.

os problemas essenciais nunca são parceláveis, e os problemas globais são cada vez mais essenciais. Além disso, todos os problemas particulares só podem ser posicionados e pensados corretamente em seus contextos; e o próprio contexto desses problemas deve ser posicionado, cada vez mais, no contexto planetário.

Ao mesmo tempo, o retalhamento das disciplinas torna impossível apreender "o que é tecido junto", isto é, o complexo, segundo o sentido original do termo.

Portanto, o desafio da globalidade é também um desafio de complexidade. Existe complexidade, de fato, quando os componentes que constituem um todo (como o econômico, o político, o sociológico, o psicológico, o afetivo, o mitológico) são inseparáveis e existe um tecido interdependente, interativo e inter-retroativo entre as partes e o todo, o todo e as partes. Ora, os desenvolvimentos próprios de nosso século e de nossa era planetária nos confrontam, inevitavelmente e com mais e mais freqüência, com os desafios da complexidade.

Como disseram Aurelio Peccei e Daisaku Ikeda: "O *approach* reducionista, que consiste em recorrer a uma série de fatores para regular a totalidade dos problemas levantados pela crise multiforme, que atravessamos atualmente, é menos uma solução que o próprio problema."[2]

Efetivamente, a inteligência que só sabe separar fragmenta o complexo do mundo em pedaços separados, fraciona os problemas, unidimensionaliza o multidimensional. Atrofia as possibilidades de compreensão e de reflexão, eliminando assim as oportunidades de um julgamento corretivo ou de uma visão a longo prazo. Sua insuficiência para tratar nossos problemas mais graves constitui um dos mais graves problemas que enfrentamos. De modo que, quanto mais os problemas se tornam multidimensionais, maior a incapacidade de

2 *Cri d'alarme pour le 21e siècle. Dialogue entre Daisaku Ikeda et Aurelio Peccei*, PUF, 1986.

pensar sua multidimensionalidade; quanto mais a crise progride, mais progride a incapacidade de pensar a crise; quanto mais planetários tornam-se os problemas, mais impensáveis eles se tornam. Uma inteligência incapaz de perceber o contexto e o complexo planetário fica cega, inconsciente e irresponsável.

Assim, os desenvolvimentos disciplinares das ciências não só trouxeram as vantagens da divisão do trabalho, mas também os inconvenientes da superespecialização, do confinamento e do despedaçamento do saber. Não só produziram o conhecimento e a elucidação, mas também a ignorância e a cegueira.

Em vez de corrigir esses desenvolvimentos, nosso sistema de ensino obedece a eles. Na escola primária nos ensinam a isolar os objetos (de seu meio ambiente), a separar as disciplinas (em vez de reconhecer suas correlações), a dissociar os problemas, em vez de reunir e integrar. Obrigam-nos a reduzir o complexo ao simples, isto é, a separar o que está ligado; a decompor, e não a recompor; e a eliminar tudo que causa desordens ou contradições em nosso entendimento[3].

Em tais condições, as mentes jovens perdem suas aptidões naturais para contextualizar os saberes e integrá-los em seus conjuntos.

Ora, o conhecimento pertinente é o que é capaz de situar qualquer informação em seu contexto e, se possível, no conjunto em que está inscrita. Podemos dizer até que o conhecimento progride não tanto por sofisticação, formalização e abstração, mas, principalmente, pela capacidade de contextualizar e englobar. Assim, a ciência econômica é a ciência humana mais sofisticada e a mais formalizada. Contudo, os economistas são incapazes de estar de acordo sobre suas

---

[3] O pensamento que recorta, isola, permite que especialistas e *experts* tenham ótimo desempenho em seus compartimentos, e cooperem eficazmente nos setores não complexos de conhecimento, notadamente os que concernem ao funcionamento das máquinas artificiais; mas a lógica a que eles obedecem estende à sociedade e às relações humanas os constrangimentos e os mecanismos inumanos da máquina artificial e sua visão determinista, mecanicista, quantitativa, formalista; e ignora, oculta ou dilui tudo que é subjetivo, afetivo, livre, *criador*.

predições, geralmente errôneas. Por quê? Porque a ciência econômica está isolada das outras dimensões humanas e sociais que lhe são inseparáveis. Como diz Jean-Paul Fitoussi, "muitos desfuncionamentos procedem, hoje, de uma mesma fraqueza da política econômica: a recusa a enfrentar a complexidade..."[4]. A política econômica é a mais incapaz de perceber o que não é quantificável, ou seja, as paixões e as necessidades humanas. De modo que a economia é, ao mesmo tempo, a ciência mais avançada matematicamente e a mais atrasada humanamente. Hayek dizia: "Ninguém pode ser um grande economista se for somente um economista." Chegava até a acrescentar que "um economista que só é economista torna-se prejudicial e pode constituir um verdadeiro perigo".

Devemos, pois, pensar o problema do ensino, considerando, por um lado, os efeitos cada vez mais graves da compartimentação dos saberes e da incapacidade de articulá-los, uns aos outros; por outro lado, considerando que a aptidão para contextualizar e integrar é uma qualidade fundamental da mente humana, que precisa ser desenvolvida, e não atrofiada.

Por detrás do desafio do global e do complexo, esconde-se um outro desafio: o da expansão descontrolada do saber. O crescimento ininterrupto dos conhecimentos constrói uma gigantesca torre de Babel, que murmura linguagens discordantes. A torre nos domina porque não podemos dominar nossos conhecimentos. T. S. Eliot dizia: "Onde está o conhecimento que perdemos na informação?" O conhecimento só é conhecimento enquanto organização, relacionado com as informações e inserido no contexto destas. As informações constituem parcelas dispersas de saber. Em toda parte, nas ciências como nas mídias, estamos afogados em informações. O especialista da disciplina mais restrita não chega sequer a tomar conheci-

[4] *Le Débat interdit: monnaie, Europe, pauvreté*, Arléa, 1995.

mento das informações concernentes a sua área. Cada vez mais, a gigantesca proliferação de conhecimentos escapa ao controle humano.

Além disso, como já dissemos, os conhecimentos fragmentados só servem para usos técnicos. Não conseguem conjugar-se para alimentar um pensamento capaz de considerar a situação humana no âmago da vida, na terra, no mundo, e de enfrentar os grandes desafios de nossa época. Não conseguimos integrar nossos conhecimentos para a condução de nossas vidas. Daí o sentido da segunda parte da frase de Eliot: "Onde está a sabedoria que perdemos no conhecimento?"

Os três desafios que acabamos de destacar levam-nos ao problema essencial da organização do saber, de que trataremos no próximo capítulo. Assinalemos, agora, os desafios encadeados que resultam desses três desafios.

O desafio cultural

A cultura, daqui em diante, está não só recortada em peças destacadas, como também partida em dois blocos. A grande separação entre a cultura das humanidades e a cultura científica, iniciada no século passado e agravada neste século XX, desencadeia sérias conseqüências para ambas. A cultura humanística é uma cultura genérica, que, pela *via* da filosofia, do ensaio, do romance, alimenta a inteligência geral, enfrenta as grandes interrogações humanas, estimula a reflexão sobre o saber e favorece a integração pessoal dos conhecimentos. A cultura científica, bem diferente por natureza, separa as áreas do conhecimento; acarreta admiráveis descobertas, teorias geniais, mas não uma reflexão sobre o destino humano e sobre o futuro da própria ciência. A cultura das humanidades tende a se tornar um moinho despossuído do grão das conquistas científicas sobre o mundo e sobre a vida, que deveria alimentar suas grandes interrogações; a segunda, privada da reflexão sobre os problemas gerais e globais, torna-se incapaz de pensar sobre si mesma e de pensar os problemas sociais e humanos que coloca.

O mundo técnico e científico vê na cultura das humanidades apenas uma espécie de ornamento ou luxo estético, ao passo que ela favorece o que Simon chamava de *general problem solving*, isto é, a inteligência geral que a mente humana aplica aos casos particulares. O mundo das humanidades vê na ciência apenas um amontoado de saberes abstratos ou ameaçadores.

O desafio sociológico

A área submetida aos três desafios estende-se incessantemente com o crescimento das características cognitivas das atividades econômicas, técnicas, sociais, políticas, sobretudo com os desenvolvimentos generalizados e múltiplos do sistema neurocerebral artificial, impropriamente denominado informática, posto em simbiose com todas as nossas atividades. E assim cada vez mais:

— a informação é uma matéria-prima que o conhecimento deve dominar e integrar;

— o conhecimento deve ser permanentemente revisitado e revisado pelo pensamento;

— o pensamento é, mais do que nunca, o capital mais precioso para o indivíduo e a sociedade.

O desafio cívico

O enfraquecimento de uma percepção global leva ao enfraquecimento do senso de responsabilidade — cada um tende a ser responsável apenas por sua tarefa especializada —, bem como ao enfraquecimento da solidariedade — ninguém mais preserva seu elo orgânico com a cidade e seus concidadãos.

Existe um déficit demográfico crescente, devido à apropriação de um número crescente de problemas vitais pelos *experts*, especialistas e técnicos.

O saber tornou-se cada vez mais esotérico (acessível somente aos especialistas) e anônimo (quantitativo e formalizado). O conhecimento técnico está igualmente reservado aos *experts*, cuja competência em um campo restrito é acompanhada de incompetência quando este campo é perturbado por influências externas ou modificado por um novo acontecimento. Em tais condições, o cidadão perde o direito ao conhecimento. Tem o direito de adquirir um saber especializado com estudos *ad hoc*, mas é despojado, enquanto cidadão, de qualquer ponto de vista globalizante ou pertinente. Se ainda é possível discutir num bar a conduta da chefia do Estado, já não é possível compreender o que deflagra o *crash* asiático, assim como o que impede esse *crash* de provocar uma crise maior; de resto, os próprios *experts* estão profundamente divididos sobre o diagnóstico e a política econômica a seguir. Se era possível acompanhar a Segunda Guerra Mundial pelas bandeirinhas fincadas no mapa, não é possível conceber os cálculos e as simulações dos computadores que executam os planos da guerra futura. A arma atômica deixou o cidadão inteiramente desprovido da possibilidade de pensá-la e controlá-la. Sua utilização está entregue unicamente à decisão do chefe de Estado, sem qualquer consulta a alguma instância democrática regulamentar. Quanto mais técnica torna-se a política, mais regride a competência democrática.

A continuação do processo técnico-científico atual — processo cego, aliás, que escapa à consciência e à vontade dos próprios cientistas — leva a uma grande regressão da democracia. Assim, enquanto o *expert* perde a aptidão de conceber o global e o fundamental, o cidadão perde o direito ao conhecimento. A partir daí, a perda do saber, muito mal compensada pela vulgarização da mídia, levanta o problema histórico, agora capital, da necessidade de uma democracia cognitiva.

Atualmente, é impossível democratizar um saber fechado e esotérico por natureza. Mas, a partir daí, não seria possível conceber uma reforma do pensamento que permita enfrentar o extraordinário desafio que nos encerra na seguinte alternativa: ou sofrer o bombardeamento de incontáveis informações que chovem sobre nós, quotidianamente, pelos jornais, rádios, televisões; ou, então, entregarmo-nos a doutrinas que só retêm das informações o que as confirma ou o que lhes é inteligível, e refugam como erro ou ilusão tudo o que as desmente ou lhes é incompreensível. É um problema que se coloca não somente ao conhecimento do mundo no dia-a-dia, mas também ao conhecimento de tudo o que é humano e ao próprio conhecimento científico.

O desafio dos desafios

Um problema crucial de nossa época é o da necessidade de destacar todos os desafios interdependentes que acabamos de levantar. *A reforma do pensamento é que permitiria o pleno emprego da inteligência para responder a esses desafios e permitiria a ligação de duas culturas dissociadas. Trata-se de uma reforma não programática, mas paradigmática, concernente a nossa aptidão para organizar o conhecimento.*

Todas as reformas concebidas até o presente giraram em torno desse buraco negro em que se encontra a profunda carência de nossas mentes, de nossa sociedade, de nosso tempo e, em decorrência, de nosso ensino. Elas não perceberam a existência desse buraco negro, porque provêm de um tipo de inteligência que precisa ser reformada.

A reforma do ensino deve levar à reforma do pensamento, e a reforma do pensamento deve levar à reforma do ensino.

Capítulo 2

A CABEÇA BEM-FEITA

"Não se ensinam os homens a serem homens honestos, mas ensina-se tudo o mais."

Pascal

"A finalidade de nossa escola é ensinar a repensar o pensamento, a 'des-saber' o sabido e a duvidar de sua própria dúvida; esta é a única maneira de começar a acreditar em alguma coisa."

Juan de Mairena

A PRIMEIRA FINALIDADE do ensino foi formulada por Montaigne: mais vale uma cabeça bem-feita que bem cheia.

O significado de "uma cabeça bem cheia" é óbvio: é uma cabeça onde o saber é acumulado, empilhado, e não dispõe de um princípio de seleção e organização que lhe dê sentido. "Uma cabeça bem-feita" significa que, em vez de acumular o saber, é mais importante dispor ao mesmo tempo de:

— uma aptidão geral para colocar e tratar os problemas;

— princípios organizadores que permitam ligar os saberes e lhes dar sentido.

A aptidão geral

Lembremos que o espírito humano, como dizia H. Simon, é um GPS, *general problems setting and solving.*

Contrariamente à opinião hoje difundida, o desenvolvimento

das aptidões gerais da mente permite o melhor desenvolvimento das competências particulares ou especializadas. Quanto mais desenvolvida é a inteligência geral, maior é sua capacidade de tratar problemas especiais. A educação deve favorecer a aptidão natural da mente para colocar e resolver os problemas e, correlativamente, estimular o pleno emprego da inteligência geral.

Esse pleno emprego exige o livre exercício da faculdade mais comum e mais ativa na infância e na adolescência, a curiosidade, que, muito freqüentemente, é aniquilada pela instrução[1], quando, ao contrário, trata-se de estimulá-la ou despertá-la, se estiver adormecida. Trata-se, desde cedo, de encorajar, de instigar a aptidão interrogativa e orientá-la para os problemas fundamentais de nossa própria condição e de nossa época.

É evidente que isso não pode ser inserido em um programa, só pode ser impulsionado por um fervor educativo.

O desenvolvimento da inteligência geral requer que seu exercício seja ligado à dúvida[2], fermento de toda atividade crítica, que, como assinala Juan de Mairena, permite "repensar o pensamento", mas comporta também "a dúvida de sua própria dúvida". Deve recorrer à *ars cogitandi*, a qual inclui o bom uso da lógica, da dedução, da indução — a arte da argumentação e da discussão. Comporta também essa inteligência que os gregos chamavam de *métis*[3], "conjunto de atitudes mentais... que conjugam o 'faro', a sagacidade, a previsão, a leveza de espírito, a desenvoltura, a atenção constante, o senso de oportunidade". Enfim, seria preciso partir de Voltaire e

---

[1] Recordemos o caráter trágico da extinção progressiva da curiosidade durante os anos de formação, ou sua limitação a um pequeno setor, que será o da especialização do adulto.

[2] Montaigne, citando Dante: "*Che non men que saper dubbiar m'aggrada*" (tanto quanto o saber, agrada-me a dúvida).

[3] M. Detienne e J.-P. Vernant, *Les Ruses de l'intelligence. La métis des Grecs*, Flammarion, 1974, col. "Champs", 1986.

Conan Doyle, e, mais adiante, estudar a arte do paleontólogo ou do arqueólogo, para se iniciar na *serendipididade*: arte de transformar detalhes, aparentemente insignificantes, em indícios que permitam reconstituir toda uma história.

Como o bom uso da inteligência geral é necessário em todos os domínios da cultura das humanidades — também da cultura científica — e, é claro, na vida, em todos esses domínios é que será preciso valorizar o "pensar bem", que não leva absolutamente a formar um bem-pensante.

O ensino matemático, que compreende o cálculo, é claro, será levado aquém e além do cálculo. Deverá revelar a natureza intrinsecamente problemática das matemáticas. O cálculo é um instrumento do raciocínio matemático, que é exercido sobre o *problem setting* e o *problem solving*, em que se trata de exibir "a prudência consumada e a lógica implacável"[4]. No decorrer dos anos de aprendizagem, seria preciso valorizar, progressivamente, o diálogo entre o pensamento matemático e o desenvolvimento dos conhecimentos científicos, e, finalmente, os limites da formalização e da quantificação.

A filosofia deve contribuir eminentemente para o desenvolvimento do espírito problematizador. A filosofia é, acima de tudo, uma força de interrogação e de reflexão, dirigida para os grandes problemas do conhecimento e da condição humana. A filosofia, hoje retraída em uma disciplina quase fechada em si mesma, deve retomar a missão que foi a sua — desde Aristóteles a Bergson e Husserl — sem, contudo, abandonar as investigações que lhe são próprias. Também o professor de filosofia, na condução de seu ensino, deveria estender seu poder de reflexão aos conhecimentos científicos, bem como à literatura e à poesia, alimentando-se ao mesmo tempo de ciência e de literatura.

[4] Lautréamont, *Chants de Maldoror*, in *Œuvres complètes*, Losfeld, 1971, p. 114.

A organização dos conhecimentos

Uma cabeça bem-feita é uma cabeça apta a organizar os conhecimentos e, com isso, evitar sua acumulação estéril.

Todo conhecimento constitui, ao mesmo tempo, uma tradução e uma reconstrução, a partir de sinais, signos, símbolos, sob a forma de representações, idéias, teorias, discursos. A organização dos conhecimentos é realizada em função de princípios e regras que não cabe analisar aqui[5]; comporta operações de ligação (conjunção, inclusão, implicação) e de separação (diferenciação, oposição, seleção, exclusão). O processo é circular, passando da separação à ligação, da ligação à separação, e, além disso, da análise à síntese, da síntese à análise. Ou seja: o conhecimento comporta, ao mesmo tempo, separação e ligação, análise e síntese.

Nossa civilização e, por conseguinte, nosso ensino privilegiaram a separação em detrimento da ligação, e a análise em detrimento da síntese. Ligação e síntese continuam subdesenvolvidas. E isso, porque a separação e a acumulação sem ligar os conhecimentos são privilegiadas em detrimento da organização que liga os conhecimentos.

Como nosso modo de conhecimento desune os objetos entre si, precisamos conceber o que os une. Como ele isola os objetos de seu contexto natural e do conjunto do qual fazem parte, é uma necessidade cognitiva inserir um conhecimento particular em seu contexto e situá-lo em seu conjunto. De fato, a psicologia cognitiva demonstra que o conhecimento progride menos pela sofisticação, formalização e abstração dos conhecimentos particulares do que, sobretudo, pela aptidão a integrar esses conhecimentos em seu contexto global. *A partir daí, o desenvolvimento da aptidão para contextualizar e globalizar os saberes torna-se um imperativo da educação.*

O desenvolvimento da aptidão para contextualizar tende a produzir a emergência de um pensamento "ecologizante", no sentido em

[5] Cf. E. Morin, *La Méthode*, t. 3: *La Connaissance de la connaissance* e t. 4: *Les Idées*, Éd. du Seuil, "Points Essais", n°s 236 e 303.

que situa todo acontecimento, informação ou conhecimento em relação de inseparabilidade com seu meio ambiente — cultural, social, econômico, político e, é claro, natural. Não só leva a situar um acontecimento em seu contexto, mas também incita a perceber como este o modifica ou explica de outra maneira. Um tal pensamento torna-se, inevitavelmente, um pensamento do complexo, pois não basta inscrever todas as coisas ou acontecimentos em um "quadro" ou uma "perspectiva". Trata-se de procurar sempre as relações e inter-retro-ações entre cada fenômeno e seu contexto, as relações de reciprocidade todo/partes: como uma modificação local repercute sobre o todo e como uma modificação do todo repercute sobre as partes. Trata-se, ao mesmo tempo, de reconhecer a unidade dentro do diverso, o diverso dentro da unidade; de reconhecer, por exemplo, a unidade humana em meio às diversidades individuais e culturais, as diversidades individuais e culturais em meio à unidade humana.

Enfim, um pensamento unificador abre-se de si mesmo para o contexto dos contextos: o contexto planetário.

Para seguir por esse caminho, o problema não é bem abrir as fronteiras entre as disciplinas, mas transformar o que gera essas fronteiras: os princípios organizadores do conhecimento.

Pascal já formulara a necessidade de ligação, que hoje é o caso de introduzir em nosso ensino, a começar pelo primário: "Sendo todas as coisas causadas e causadoras, ajudadas e ajudantes, mediatas e imediatas, e todas elas mantidas por um elo natural e insensível, que interliga as mais distantes e as mais diferentes, considero impossível conhecer as partes sem conhecer o todo, assim como conhecer o todo sem conhecer, particularmente, as partes..." (*Pensamentos*, Éd. Brunschvicg, II, 72). Para pensar localizadamente, é preciso pensar globalmente, como para pensar globalmente é preciso pensar localizadamente.

O problema chave permanece: quais são os princípios que poderiam elucidar as relações de reciprocidade entre partes e todo, bem como reconhecer o elo natural e insensível que liga as coisas mais distantes e as mais diferentes? Quais são as maneiras de pensar que permitiriam conceber que uma mesma coisa possa ser causada e causadora, ajudada e ajudante, mediata e imediata? No capítulo 8, "A reforma do pensamento", vamos indicá-las, sucintamente.

Um novo espírito científico

A segunda revolução científica do século XX[6] pode contribuir, atualmente, para formar uma cabeça bem-feita. Essa revolução, iniciada em várias frentes dos anos 60, gera grandes desdobramentos que levam a ligar, contextualizar e globalizar os saberes até então fragmentados e compartimentados, e que, daí em diante, permitem articular as disciplinas, umas às outras, de modo mais fecundo.

O desenvolvimento anterior das disciplinas científicas, tendo fragmentado e compartimentado mais e mais o campo do saber, demoliu as entidades naturais sobre as quais sempre incidiram as grandes interrogações humanas: o cosmo, a natureza, a vida e, a rigor, o ser humano. As novas ciências, Ecologia, ciências da Terra, Cosmologia, são poli ou transdisciplinares: têm por objeto não um setor ou uma parcela, mas um sistema[7] complexo, que forma um

---

[6] ... a primeira teria irrompido na microfísica, no início do século (cf. cap. 5, p. 56).

[7] A idéia sistêmica começou, na segunda metade de nosso século, a minar progressivamente a validade de um conhecimento reducionista. Formulada por Bertalanffy, ao longo dos anos 50, a teoria geral dos sistemas, que parte do fato de que a maior parte dos objetos da física, da astronomia, da biologia, da sociologia, átomos, moléculas, células, organismos, sociedades, astros, galáxias formam sistemas, ou seja, conjuntos de partes diversas que constituem um todo organizado, retomou a idéia, freqüentemente formulada no passado, de que um todo é mais que o conjunto das partes que o compõem. Na mesma época, a cibernética estabelecia os primeiros princípios concernentes à organização das máquinas que dispunham de programas informatizados e de dispositivos reguladores, cujo conhecimento não podia ser reduzido ao de suas partes constitutivas. Como destacamos (*La Méthode*, t. 1: *La Nature de la nature*, Éd. du Seuil, "Points Essais", nº 123, particularmente, pp. 101-116), a organização em sistema produz qualidades ou propriedades desconhecidas das partes concebidas isoladamente: *as emergências*. Assim, as propriedades do ser vivo são desconhecidas na medida de seus constituintes moleculares isolados; elas

todo organizador[8]. Realizam o restabelecimento dos conjuntos constituídos, a partir de interações, retroações, inter-retroações, e constituem complexos que se organizam por si próprios. Ao mesmo tempo, ressuscitam entidades naturais: o Universo (Cosmologia), a Terra (ciências da Terra), a natureza (Ecologia), a humanidade (pela visão em perspectiva da nova Pré-história do processo multimilenar de hominização).

Assim, todas essas ciências rompem o velho dogma reducionista de explicação pelo elementar: elas tratam de sistemas complexos onde as partes e o todo produzem e se organizam entre si e, no caso da Cosmologia, uma complexidade que ultrapassa qualquer sistema.

Já existiam ciências multidimensionais, como a Geografia, que vai da Geologia aos fenômenos econômicos e sociais. Existem ciências que se tornaram poliscópicas, como a História, e ciências que já o eram, como a ciência das civilizações (Islã, Índia, China). Agora, surgiram novas ciências "sistêmicas": Ecologia, ciências da Terra, Cosmologia.

Ecologia

A idéia de sistema foi introduzida e impôs-se, sob a forma de ecossistema, em uma ciência que, fundada no final do século XIX, conheceu um prodigioso desenvolvimento a partir do início dos anos de 1960: a Ecologia. A noção de ecossistema significa que o conjunto das interações entre populações vivas no seio de uma determinada unidade geofísica constitui uma unidade complexa de caráter organizador: um ecossistema. Como é sabido, a partir dos anos

---

emergem nesta e para esta organização. A rotina, fruto da ciência disciplinar, era tão forte, que, por muito tempo, o pensamento sistêmico permaneceu afastado das ciências, tanto naturais como humanas, e, ainda hoje, é marginalizado.

[8] Como indicamos antes (*La Méthode*, t. 1, *op. cit.*, pp. 94-106), as noções de sistema e de organização remetem uma à outra.

70 a pesquisa ecológica estendeu-se à biosfera como um todo, sendo esta concebida como um megassistema auto-regulador que admite em seu âmago os desenvolvimentos técnicos e econômicos propriamente humanos que passam a perturbá-lo.

A Ecologia, que tem um ecossistema como objeto de estudo, recorre a múltiplas disciplinas físicas para apreender o biotopo e às disciplinas biológicas (Zoologia, Botânica, Microbiologia) para estudar a biocenose. Além disso, precisa recorrer às ciências humanas para analisar as interações entre o mundo humano e a biosfera. Assim, disciplinas extremamente distintas são associadas e orquestradas na ciência ecológica.

CIÊNCIAS DA TERRA

Nos anos 60, depois da descoberta da teoria tectônica das placas, as ciências da Terra percebem nosso planeta como um sistema complexo que se autoproduz e se auto-organiza; articulam-se com disciplinas outrora isoladas, como a Geologia, a Meteorologia, a Vulcanologia, a Sismologia. Sugerem que a diminuição de peso na extremidade continental do sudeste asiático, sob o efeito da erosão anual devida aos ciclones, pode provocar um contrabalanceamento no oeste da Anatólia e um empuxo causador de tremores de terra ou erupções vulcânicas na Grécia e na Itália.

Encaminhamo-nos, como propõe vivamente Westbroek[9], para uma concepção geobiofísica da Terra, em que os caracteres físicos de origem biológica (o oxigênio do ar, o calcário etc.) estão integrados como sistema e onde a vida não é apenas um produto, mas também um agente da física terrestre.

O desenvolvimento das ciências da Terra e da Ecologia revitalizam a Geografia, ciência complexa por princípio, uma vez que

[9] Peter Westbroek, *Vive la Terre. Physiologie d'une planète*, Éd. du Seuil, 1998.

abrange a física terrestre, a biosfera e as implantações humanas. Marginalizada pelas disciplinas vitoriosas, privada do pensamento organizador — que vai além do possibilismo de Vidal de La Blache, ou do determinismo de Ratzell —, a Geografia, que, de resto, forneceu profissionais à Ecologia, reencontra suas perspectivas multidimensionais, complexas e globalizantes[10]. Desenvolve seus pseudópodes geopolíticos[11] e reassume sua vocação originária: como diz Jean-Pierre Allix, "somos necessariamente generalizadores"[12]. A Geografia amplia-se em Ciência da Terra dos homens.

Cosmologia

O cosmo fora liquidado no início do século XX pelo conceito einsteiniano de espaço-tempo. Sua ressurreição tem início com a descoberta de Hubble da dispersão das galáxias, a hipótese do átomo primitivo de Lemaître, e é concluída nos anos 60, notadamente depois da descoberta da radiação isótropa que vem de todos os pontos do Universo e pode ser interpretada como o resíduo fóssil de um acontecimento térmico inicial. A partir daí, impõe-se o conceito de um cosmo único, em evolução. Para conhecer esse cosmo e conceber, sobretudo, a formação dos nódulos, dos átomos, e as inter-retroações no interior dos astros, a observação astrofísica é associada aos resultados das experiências microfísicas, isto é, a disciplina do infinitamente grande à disciplina do infinitamente pequeno; a exemplo de Pascal, alguns cosmólogos, meditando sobre a situação humana entre esses dois infinitos, tentam introduzir a possibilidade da vida e da consciência em sua idéia de cosmo (princípio antrópico).

---

[10] Cf. Jacques Levy, *Le Monde pour cité*, debate com Alfred Valladao, Hachette, 1996. Michel Roux, *Géographie et complexité*, L'Harmattan, 1999.

[11] Cf. Yves Lacoste, *Dictionnaire de géopolitique*, Flammarion, 1995.

[12] *L'Espace humain, Une invitation à la géographie*, Éd. du Seuil, 1996.

Assim, a partir daí, disciplinas distintas (astronomia de observação, física, microfísica, matemática), além de uma reflexão quase filosófica, são utilizadas de maneira reflexiva para permitir, tanto quanto possível, uma inteligibilidade de nosso Universo.

Os atrasos

Infelizmente, a revolução das recomposições multidisciplinares está longe de ser generalizada e, em muitos setores, sequer teve início, notadamente no que concerne ao ser humano, vítima da grande disjunção natureza/cultura, animalidade/humanidade, sempre desmembrado entre sua natureza de ser vivo, estudada pela biologia, e sua natureza física e social, estudada pelas ciências humanas.

Contudo, a nova Pré-história, desde as descobertas feitas por Louis e Mary Leakey na garganta do Olduvai, em 1959, permite efetuar a primeira ligação, que forma um nó górdio entre o biológico e o humano: como ciência polidisciplinar e poliscópica, ela procura compreender a hominização, aventura de alguns milhões de anos, que realiza a passagem do animal ao humano e a da natureza à cultura. Precisa recorrer à Ecologia (mudanças climáticas que estimularam a hominização), à Genética (mutações sucessivas do australopteco ao *Homo sapiens*), à Anatomia (o elo entre a bipedização e a manualização, a postura ereta do corpo, a modificação do crânio); às ciências neurológicas (crescimento e reorganização do cérebro); à Sociologia (transformação de uma sociedade de primatas em sociedade humana), às teorias de Bolk (o adulto conserva os caracteres não especializados do embrião e os caracteres fisiológicos da juventude)[13].

Ata-se, então, o primeiro elo indissolúvel entre ciências da vida e ciências humanas.

[13] Cf. as indicações in *Le Paradigme perdu*, "Points Essais", nº 109.

Nas ciências cognitivas, um outro elo é pesquisado entre o cérebro, órgão biológico, a mente, entidade antropológica, e o computador, inteligência artificial. Mas, até o presente, há mais justaposição que ligação, e menos busca de uma linguagem comum que conflitos entre disciplinas de pretensão hegemônica: ciências neurológicas, ciências físicas, teorias oriundas da informação, cibernética, conceitos de auto-organização a partir de redes de conexão etc. O mais grave é que as ciências cognitivas, que aglutinam disciplinas "normais", próprias da ciência clássica, ignoram seu problema crucial: o objeto de seu conhecimento é da mesma natureza que seu instrumento de conhecimento. De modo que as ciências cognitivas constituem uma primeira etapa de agregação, à espera da grande virada.

No que diz respeito às ciências da vida e às ciências do homem, a situação é bem diferente. Os prodigiosos progressos da Biologia Molecular e da Genética permitem conceber o elo entre Física, Química e Biologia, pois é pela organização, e não pela matéria, que a vida se diferencia do mundo físico-químico. Mas essa organização é concebida de maneira reducionista, quando simplificada em um único movimento ADN → ARN → proteínas. De fato, existem hiatos, até agora não preenchidos, entre Biologia Molecular, de um lado, e Etologia ou Parasitologia, do outro. Enquanto a Biologia Molecular esforça-se para reduzir todo comportamento vivo a movimentos genético-químicos, em uma outra perspectiva das ciências biológicas desenvolveu-se uma visão etológica que põe a descoberto a complexidade das estratégias, não apenas animais, mas também vegetais, a inteligência e a complexidade das relações entre macacos superiores, sobretudo os chimpanzés, a existência não de hordas, mas de verdadeiras sociedades, entre mamíferos; quanto à Parasitologia, ela descobre estratagemas surpreendentes nos parasitas, que se infiltram de uma espécie a outra, sem que esse comportamento tão complicado possa ser reduzido a um acaso genético.

Assim, as ciências biológicas progridem em múltiplas frentes, mas essas frentes não estão coordenadas umas às outras e levam a idéias divergentes. A confederação biológica está longe de ser concretizada: falta-lhe a ligação decisiva — a idéia de auto-organização.

Além disso, mesmo as ciências especificamente humanas são compartimentadas: História, Sociologia, Economia, Psicologia, ciências do imaginário, mitos e crenças só se comunicam em alguns pesquisadores marginais. Contudo, a História tende a tornar-se uma ciência multidimensional, quando integra, em si mesma, a dimensão econômica, a antropológica (o conjunto de *mores*, costumes, ritos concernentes à vida e à morte), e reintegra o acontecimento, depois de achar que devia aboli-lo como epifenômeno. A História, como bem acusa André Burguière[14], tende a tornar-se ciência da complexidade humana.

O imperativo

Assim, as grandes recomposições sofrem enormes atrasos justamente onde ainda reina a redução e a compartimentação. Mas a Cosmologia, as ciências da Terra, a Ecologia, a Pré-história, a nova História permitem articular, umas às outras, disciplinas até então isoladas. Permitem responder, cada qual em sua área e a sua maneira, ao imperativo de Pascal.

Com esse novo espírito científico, pode-se pensar também que uma verdadeira reforma do pensamento está a caminho, porém de modo muito desigual...

É nessa mentalidade que se deve investir, no propósito de favorecer a inteligência geral, a aptidão para problematizar, a realização

[14] André Burguière, "De l'histoire évolutionniste à l'histoire complexe", in *Relier les connaissances*, Éd. du Seuil, 1999.

da ligação dos conhecimentos. A esse novo espírito científico será preciso acrescentar a renovação do espírito da cultura das humanidades. Não esqueçamos que a cultura das humanidades favorece a aptidão para a abertura a todos os grandes problemas, para meditar sobre o saber e para integrá-lo à própria vida, de modo a melhor explicar, correlativamente, a própria conduta e o conhecimento de si.

Assim, podemos imaginar os caminhos que permitiriam descobrir, em nossas condições contemporâneas, a finalidade da cabeça bem-feita. Tratar-se-ia de um processo contínuo ao longo dos diversos níveis de ensino, em que a cultura científica e a cultura das humanidades poderiam ser mobilizadas.

Uma educação para uma cabeça bem-feita, que acabe com a disjunção entre as duas culturas, daria capacidade para se responder aos formidáveis desafios da globalidade e da complexidade na vida quotidiana, social, política, nacional e mundial.

É imperiosamente necessário, portanto, restaurar a finalidade da cabeça bem-feita, nas condições e com os imperativos próprios de nossa época.

Capítulo 3

A CONDIÇÃO HUMANA

"Nosso verdadeiro estudo é o da condição humana."

Rousseau, *Emílio*

A contribuição da cultura científica

O estudo da condição humana não depende apenas do ponto de vista das ciências humanas. Não depende apenas da reflexão filosófica e das descrições literárias. Depende também das ciências naturais renovadas e reunidas, que são: a Cosmologia, as ciências da Terra e a Ecologia.

O que essas ciências fazem é apresentar um tipo de conhecimento que organiza um saber anteriormente disperso e compartimentado. Ressuscitam o mundo, a Terra, a natureza — noções que nunca deixaram de provocar o questionamento e a reflexão na história de nossa cultura — e, de uma nova maneira, despertam questões fundamentais: o que é o mundo, o que é nossa Terra, de onde viemos? Elas nos permitem inserir e situar a condição humana no cosmo, na Terra, na vida.

Estamos em um planeta minúsculo, satélite de um Sol de subúrbio, astro pigmeu perdido entre milhares de estrelas da Via-láctea, ela mesma galáxia periférica em um cosmo em expansão, privado de centro. Somos filhos marginais do cosmo, formados de partículas, átomos, moléculas do mundo físico. E estamos não apenas marginalizados, como também perdidos no cosmo, quase estrangeiros, justamente porque nosso pensamento e nossa consciência permitem que consideremos isto...

Assim como a vida terrestre é extremamente marginal no cosmo, somos marginais na vida. O homem surgiu marginalmente no mundo animal, e seu desenvolvimento marginalizou-o ainda mais. Somos (aparentemente) os únicos seres vivos, na terra, que dispõem de um aparelho neurocerebral hipercomplexo, e os únicos que dispõem de uma linguagem de dupla articulação para comunicar-se, de indivíduo a indivíduo. Os únicos que dispõem da consciência...

Abrir-se ao cosmo é entrar na aventura desconhecida, onde talvez sejamos, ao mesmo tempo, desbravadores e desviantes; abrir-se à *physis* é ligar-se ao problema da organização das partículas, átomos, moléculas, macromoléculas, que se encontram no interior das células de cada um de nós; abrir-se para a vida é abrir-se também para as nossas vidas. As ciências do homem retiraram toda significação biológica a estes termos: ser jovem, velho, mulher, homem, nascer, existir, ter pai e mãe, morrer — essas palavras remetem apenas a categorias socioculturais. Só readquirem sentido vivo quando as conceituamos em nossa vida privada. A Antropologia que exclui a vida de nossa vida privada é uma Antropologia privada de vida.

A vida é um fungo que se formou nas águas e na superfície da Terra. Nosso planeta gerou a vida que se desenvolveu de forma líquida no mundo vegetal e animal; nós somos uma ramificação da ramificação dessa evolução dos vertebrados, dos mamíferos, dos primatas, portadores em nós das herdeiras, filhas, irmãs das primeiras células vivas. Pelo nascimento, participamos da aventura biológica; pela morte, participamos da tragédia cósmica. O ser mais corriqueiro, o destino mais banal participa dessa tragédia e dessa aventura.

Michel Cassé, em um banquete no Castelo de Beychevelle, quando um enólogo lhe perguntou o que um astrônomo via em seu copo de vinho *bordeaux*, respondeu assim: "Vejo o nascimento do Universo, pois vejo as partículas que se formaram nele nos primeiros segundos. Vejo um Sol anterior ao nosso, pois nossos átomos de carbono foram gerados no seio desse grande astro que explodiu. Depois, esse carbono ligou-se a outros átomos nessa espécie de lixeira cósmica em que os detritos, ao se agregarem, vão formar a Terra. Vejo a composição das macromoléculas que se uniram para dar nascimento à vida. Vejo as primeiras células vivas, o desenvolvimento do mundo vegetal, a domesticação da vinha nos países mediterrâneos. Vejo as bacanais e os festins. Vejo a seleção das castas, um cuidado milenar em torno dos vinhedos. Vejo, enfim, o desenvolvimento da técnica moderna que hoje permite controlar eletronicamente a temperatura de fermentação nas tinas. Vejo toda a história cósmica e humana nesse copo de vinho, e também, é claro, toda a história específica do bordelês."

Trazemos, dentro de nós, o mundo físico, o mundo químico, o mundo vivo, e, ao mesmo tempo, deles estamos separados por nosso pensamento, nossa consciência, nossa cultura. Assim, Cosmologia, ciências da Terra, Biologia, Ecologia permitem situar a dupla condição humana: natural e metanatural.

Conhecer o humano não é separá-lo do Universo, mas situá-lo nele. Como vimos no capítulo anterior, todo conhecimento, para ser pertinente, deve contextualizar seu objeto. "Quem somos nós?" é inseparável de "Onde estamos, de onde viemos, para onde vamos?". Pascal já nos havia situado, corretamente, entre dois infinitos, o que foi amplamente confirmado no século XX pela dupla evolução da Microfísica e da Astrofísica. Conhecemos hoje nosso duplo enraizamento: no cosmo físico e na esfera viva.

Claro, novas descobertas ainda vão modificar nosso conhecimento, mas, pela primeira vez na história, o ser humano pode reconhecer a condição humana de seu enraizamento e de seu desenraizamento.

Em meio à aventura cósmica, no extremo do prodigioso desenvolvimento de um ramo singular da auto-organização viva, prosseguimos, à nossa maneira, na aventura da organização. Essa época cósmica da organização, incessantemente sujeita às forças da desorganização e da dispersão, é, também, a época da reunião, e só ela impediu que o cosmo se dispersasse e desaparecesse, tão logo acabara de nascer. Nós, viventes, e, por conseguinte, humanos, filhos das águas, da Terra e do Sol, somos um feto da diáspora cósmica, algumas migalhas da existência solar, uma ínfima brotação da existência terrestre.

Estamos, a um só tempo, dentro e fora da natureza. Somos seres, simultaneamente, cósmicos, físicos, biológicos, culturais, cerebrais, espirituais... Somos filhos do cosmo, mas, até em conseqüência de nossa humanidade, nossa cultura, nosso espírito, nossa consciência, tornamo-nos estranhos a esse cosmo do qual continuamos secretamente íntimos. Nosso pensamento, nossa consciência, que nos fazem conhecer o mundo físico, dele nos distanciam ainda mais.

À nossa ascendência cósmica, à nossa constituição física, temos de acrescentar nossa implantação terrestre. A Terra foi produzida e organizada na dependência do Sol, constituiu-se em complexo biofísico, a partir do momento em que sua biosfera se desenvolveu. Da Terra nasceu, efetivamente, a vida e, na evolução multiforme da vida multicelular, nasceu a animalidade; depois, o mais recente desenvolvimento de um ramo do mundo animal tornou-se humano. Nós domamos a natureza vegetal e animal, pensamos ser senhores e donos da Terra, os conquistadores, mesmo, do cosmo. Mas — como começamos a tomar consciência — dependemos de modo vital da biosfera terrestre e devemos reconhecer nossa muito física e muito biológica identidade terrena.

De modo que podemos, ao mesmo tempo, integrar e distinguir o destino humano dentro do Universo; e essa nova cultura científica permite oferecer um novo e capital conhecimento à cultura geral, humanística, histórica e filosófica, que, de Montaigne a Camus, sempre levantou o problema da condição humana.

A Pré-história torna-se, mais e mais, ciência fundamental da hominização. Esta traz em si o nó górdio animalidade/humanidade. Efetivamente, o processo de hominização de 6 milhões de anos permite-nos imaginar a emergência da humanidade a partir da animalidade. A hominização é uma aventura ao mesmo tempo descontínua

— aparecimento de novas espécies: *habilis, erectus, neandertalensis, sapiens,* e desaparecimento das precedentes; surgimento da linguagem e da cultura — e contínua, no sentido em que prossegue em um processo de bipedização, de manualização, de empertigamento do corpo, de cerebralização[1], de juvenilização (o adulto conserva os caracteres não especializados do embrião[2] e os caracteres fisiológicos da juventude), de complexificação social, processo ao longo do qual surge a linguagem propriamente humana, ao mesmo tempo em que se constitui a cultura: patrimônio dos saberes, *know-how,* crenças, mitos adquiridos e transmissíveis de geração a geração. Assim, podemos introduzir em nossa reflexão o problema, em parte ainda enigmático, da hominização, mas, ao menos, sabemos hoje que teve início há muitos milhões de anos e adquiriu um caráter não apenas anatômico e genético, mas também psicológico e sociológico, para tornar-se cultural, a partir de um certo período. A hominização resulta em um novo ponto de partida: o humano.

Tudo isso deve contribuir para a formação de uma consciência humanística e ética de pertencer à espécie humana, que só pode ser completa com a consciência do caráter matricial da Terra para a vida, e da vida para a humanidade.

Tudo isso deve contribuir, igualmente, para o abandono do sonho alucinado de conquista do Universo e dominação da natureza — formulado por Bacon, Descartes, Buffon, Marx —, que incentivou a aventura conquistadora da técnica ocidental.

Os novos conhecimentos, que nos levam a descobrir o lugar da Terra no cosmo, a Terra-sistema, a Terra-Gaia ou biosfera, a Terra-

---

[1] Australopteco (crânio: 508 cm^3), *Homo habilis* (680 cm^3), *Homo erectus* (800 cm^3-1.100 cm^3), homem moderno (1.200 cm^3-1.500 cm^3).

[2] Cf. as indicações em *Le Paradigme perdu (op. cit.)* sobre os caracteres anatômicos e fisiológicos não especializados do ser humano (pp. 92-100).

pátria dos humanos, não têm sentido algum enquanto isolados uns dos outros. A Terra não é a soma de um planeta físico, de uma biosfera e da humanidade. A Terra é a totalidade complexa físico-biológica-antropológica, onde a vida é uma emergência da história da Terra, e o homem, uma emergência da história da vida terrestre. A relação do homem com a natureza não pode ser concebida de forma reducionista, nem de forma disjuntiva. A humanidade é uma entidade planetária e biosférica. O ser humano, ao mesmo tempo natural e supranatural, deve ser pesquisado na natureza viva e física, mas emerge e distingue-se dela pela cultura, pensamento e consciência. Tudo isso nos coloca diante do caráter duplo e complexo do que é humano: *a humanidade não se reduz absolutamente à animalidade, mas, sem animalidade, não há humanidade.*

Ao longo dessa aventura, a condição humana foi autoproduzida pelo desenvolvimento do utensílio, pela domesticação do fogo, pela emergência da linguagem de dupla articulação e, finalmente, pelo surgimento do mito e do imaginário... Assim, a nova Pré-história tornou-se a ciência que permite a ressurreição do humano que fora eliminado pelas fragmentações disciplinares.

O ser humano nos é revelado em sua complexidade: ser, ao mesmo tempo, totalmente biológico e totalmente cultural. O cérebro, por meio do qual pensamos, a boca, pela qual falamos, a mão, com a qual escrevemos, são órgãos totalmente biológicos e, ao mesmo tempo, totalmente culturais. O que há de mais biológico — o sexo, o nascimento, a morte — é, também, o que há de mais impregnado de cultura. Nossas atividades biológicas mais elementares — comer, beber, defecar — estão estreitamente ligadas a normas, proibições, valores, símbolos, mitos, ritos, ou seja, ao que há de mais especificamente cultural; nossas atividades mais culturais — falar, cantar, dançar, amar, meditar — põem em movimento nossos corpos, nossos órgãos; portanto, o cérebro.

A partir daí, o conceito de homem tem dupla entrada: uma entrada biofísica, uma entrada psicossociocultural; duas entradas que remetem uma à outra.

À maneira de um ponto de holograma, trazemos, no âmago de nossa singularidade, não apenas toda a humanidade, toda a vida, mas também quase todo o cosmo, incluso seu mistério, que, sem dúvida, jaz no fundo da natureza humana.

Eis, pois, o que uma nova cultura científica pode oferecer à cultura humanística: a situação do ser humano no mundo, minúscula parte do todo, mas que contém a presença do todo nessa minúscula parte. Ela o revela, simultaneamente, em sua participação e em sua estranheza ao mundo. Assim, a iniciação às novas ciências torna-se, ao mesmo tempo, iniciação a nossa condição humana, por intermédio dessas ciências.

A contribuição das ciências humanas

Paradoxalmente, são as ciências humanas que, no momento atual, oferecem a mais fraca contribuição ao estudo da condição humana, precisamente porque estão desligadas, fragmentadas e compartimentadas. Essa situação esconde inteiramente a relação indivíduo/espécie/sociedade, e esconde o próprio ser humano. Tal como a fragmentação das ciências biológicas anula a noção de vida, a fragmentação das ciências humanas anula a noção de homem. Assim, Lévi-Strauss acreditava que o fim das ciências humanas não é revelar o homem, mas dissolvê-lo em estruturas.

Seria preciso conceber uma ciência antropossocial religada, que concebesse a humanidade em sua unidade antropológica e em suas diversidades individuais e culturais.

À espera dessa religação — desejada pelas ciências, mas ainda fora de seu alcance —, seria importante que o ensino de cada uma delas fosse orientado para a condição humana. Assim, a Psicologia, tendo como diretriz o destino individual e subjetivo do ser humano, deveria mostrar que *Homo sapiens* também é, indissoluvelmente, *Homo demens*, que *Homo faber* é, ao mesmo tempo, *Homo ludens*, que *Homo economicus* é, ao mesmo tempo, *Homo mythologicus*, que *Homo prosaicus* é, ao mesmo tempo, *Homo poeticus*. A Sociologia seria orientada para nosso destino social, a Economia para nosso destino econômico; um ensino sobre os mitos e as religiões seria orientado para o destino mítico-religioso do ser humano. De fato, as religiões, mitos, ideologias devem ser considerados em seu poder e ascendência sobre as mentes humanas, e não mais como "superestruturas".

Quanto à contribuição da História para o conhecimento da condição humana, ela deve incluir o destino, a um só tempo, determinado e aleatório da humanidade. Todas as conseqüências sairiam da conscientização de que a História não obedece a processos deterministas, não está sujeita a uma inevitável lógica técnico-econômica, ou orientada para um progresso imprescindível. A História está sujeita a acidentes, perturbações e, às vezes, terríveis destruições de populações ou civilizações em massa. Não existem "leis" da História, mas um diálogo caótico, aleatório e incerto, entre determinações e forças de desordem, e um movimento, às vezes rotativo, entre o econômico, o sociológico, o técnico, o mitológico, o imaginário. Não há mais progresso prometido; em contrapartida, podem advir progressos, mas devem ser incessantemente reconstruídos. Nenhum progresso é conquistado para todo o sempre.

A História, ainda que esvaziada por algum tempo da noção de acontecimento, de acaso e de "grandes homens", enriqueceu-se em profundidade. Assim, a tendência ilustrada, cujo exemplo, na França, é a *École des Annales**, teve a virtude não de se livrar do acontecimento e do eventual, como pensava, mas de se tornar multidimensional, integrando o substrato econômico e técnico, a vida quotidiana, as crenças e ritos, os comportamentos diante da vida e da morte. Mal começa a

* Escola dos Anais. (N. da T.)

reconhecer o acontecimento e o eventual, que foram reencontrados há trinta anos, paradoxalmente, na Cosmologia, na Física e na Biologia.

Assim, todas as disciplinas, tanto das ciências naturais como das ciências humanas, podem ser mobilizadas, hoje, de modo a convergir para a condição humana.

A contribuição da cultura das humanidades

A contribuição da cultura das humanidades para o estudo da condição humana continua sendo fundamental.

Em primeiro lugar, o estudo da linguagem; sob a forma mais consumada, que é a forma literária e poética, ele nos leva diretamente ao caráter mais original da condição humana, pois, como disse Yves Bonnefoy, "são as palavras, com seu poder de antecipação, que nos distinguem da condição animal". E Bonnefoy enfatiza que a importância da linguagem está em seus *poderes*, e não em *suas leis fundamentais*[3].

No que concerne à literatura propriamente dita, François Bon constata[4], com razão, "que fomos separados da literatura como autoreflexão do homem em sua universalidade, para colocá-la a serviço da língua veicular... [onde] ela se torna submissa e secundária". É preciso restituir-lhe sua virtude plena.

A longa tradição dos ensaios — própria de nossa cultura, desde Erasmo, Maquiavel, Montaigne, La Bruyère, La Rochefoucauld, Diderot e até Camus e Bataille — constitui uma farta contribuição reflexiva sobre a condição humana. Mas também o romance e o cinema oferecem-nos o que é invisível nas ciências humanas; estas ocultam ou dissolvem os caracteres existenciais, subjetivos, afetivos do ser

---

3 "L'enseignement de la poésie", in *Quels savoirs enseigner dans les lycées*, Ministério da Educação Nacional, CNDP, 1998, pp. 63-67.

4 "Transmettre la littérature: obstacles", in *Relier les connaissances*, Éd. du Seuil, 1999.

humano, que vive suas paixões, seus amores, seus ódios, seus envolvimentos, seus delírios, suas felicidades, suas infelicidades, com boa e má sorte, enganos, traições, imprevistos, destino, fatalidade...

São o romance e o filme que põem à mostra as relações do ser humano com o outro, com a sociedade, com o mundo. O romance do século XIX e o cinema do século XX transportam-nos para dentro da História e pelos continentes, para dentro das guerras e da paz. E o milagre de um grande romance, como de um grande filme, é revelar a universalidade da condição humana, ao mergulhar na singularidade de destinos individuais localizados no tempo e no espaço.

Kundera diz isso muito bem, em *L'Art du roman* (*A Arte do Romance*)[5]. O romance é mais que um romance. Sabemos que o romance, a partir do século XIX, tornou-se prenhe de toda a complexidade da vida dos indivíduos, até da mais banal das vidas. Ele demonstra que o ser mais insignificante tem várias vidas, desempenha diversos papéis, vive uma existência em parte de fantasias, em parte de ações. Dostoievski demonstrou vivamente a complexidade das relações do sujeito com o outro, as instabilidades do "eu".

É a literatura que nos revela, como acusa o escritor Hadj Garm' Oren, que "todo indivíduo, mesmo o mais restrito à mais banal das vidas, constitui, em si mesmo, um cosmo. Traz em si suas multiplicidades internas, suas personalidades virtuais, uma infinidade de personagens quiméricos, uma poliexistência no real e no imaginário, o sono e a vigília, a obediência e a transgressão, o ostensivo e o secreto, pululâncias larvares em suas cavernas e grutas insondáveis. Cada um contém em si galáxias de sonhos e de fantasias, de ímpetos insatisfeitos de desejos e de amores, abismos de infelicidade, vastidões de fria indiferença, ardores de astro em chamas, ímpetos de ódio, débeis anomalias, relâmpagos de lucidez, tempestades furiosas..."[6].

[5] Gallimard, 1986, e col. "Folio", 1995.
[6] Manuscrito inédito.

A poesia, que faz parte da literatura e, ao mesmo tempo, é mais que a literatura, leva-nos à dimensão poética da existência humana. Revela que habitamos a Terra, não só prosaicamente — sujeitos à utilidade e à funcionalidade —, mas também poeticamente, destinados ao deslumbramento, ao amor, ao êxtase. Pelo poder da linguagem, a poesia nos põe em comunicação com o mistério, que está além do dizível.

As artes levam-nos à dimensão estética da existência e — conforme o adágio que diz que a natureza imita a obra de arte — elas nos ensinam a ver o mundo esteticamente.

Trata-se, enfim, de demonstrar que, em toda grande obra, de literatura, de cinema, de poesia, de música, de pintura, de escultura, há um pensamento profundo sobre a condição humana.

Acrescentemos que todo ensino, particularmente de literatura, poesia, música, deveria tomar consciência do fato de que, a partir do século XIX, ocorre uma separação cultural na história européia. Enquanto o mundo masculino adulto, das classes burguesas, é destinado à eficiência, à dominação, à técnica, ao lucro, e o proletariado está sujeito ao trabalho, uma parte do mundo adolescente e do mundo feminino assume a sensibilidade, o amor, a tristeza; e vai expressar, como em nenhuma outra civilização ou época da História, as aspirações e os tormentos da alma humana: é justamente o que enunciam Shelley, Keats, Novalis, Hölderlin, Nerval, Rimbaud. Enquanto o poderio do Ocidente europeu expande-se sobre o mundo cantando vitórias em todas as batalhas, esses poetas cantam os sofrimentos dos humanos submetidos à crueldade do mundo e da vida. Beethoven, em seu último *quatuor*, une, indissoluvelmente, a revolta incoercível do *muss es sein?* à resignação inelutável do *es muss sein!*. O quinteto de Schubert oferece uma dor que, no entanto, sem deixar de ser dor, transfigura-se no sublime[7].

[7] Cf. a máxima beethoveniana *durch leiden freude* (por meio do sofrimento, a alegria).

Enfim, a Filosofia, se retomar sua vocação reflexiva sobre todos os aspectos do saber e dos conhecimentos, poderia, deveria fazer convergir a pluralidade de seus pontos de vista sobre a condição humana.

A despeito da ausência de *uma* ciência do homem que coordene e ligue *as* ciências do homem (ou antes, a despeito da ignorância dos trabalhos realizados neste sentido[8]), o ensino pode tentar, eficientemente, promover a convergência das ciências naturais, das ciências humanas, da cultura das humanidades e da Filosofia para a condição humana.

Seria possível, daí em diante, chegar a uma tomada de consciência da coletividade do destino próprio de nossa era planetária, onde todos os humanos são confrontados com os mesmos problemas vitais e mortais.

---

8 ... em meus livros *L'Homme et la mort* (Éd. du Seuil, "Points Essais", nº 77) e *Le Paradigme perdu. La nature humaine* (Éd. du Seuil, "Points Essais", nº 109), assim como a obra coletiva, dirigida por E. Morin e M. Piattelli, *L'Unité de l'homme*, 3 vol. (Éd. du Seuil, "Points Essais", nºs 91, 92 e 93).

CAPÍTULO 4

APRENDER A VIVER

"Quero ensinar-lhe a viver."

ROUSSEAU, *Emílio*

"Queremos ser os poetas de nossa própria vida, e, primeiro, nas menores coisas."

NIETZSCHE

COMO DIZIA magnificamente Durkheim, o objetivo da educação não é o de transmitir conhecimentos sempre mais numerosos ao aluno, mas o "de criar nele um estado interior e profundo, uma espécie de polaridade de espírito que o oriente em um sentido definido, não apenas durante a infância, mas por toda a vida"[1]. É, justamente, mostrar que ensinar a viver necessita não só dos conhecimentos, mas também da transformação, em seu próprio ser mental, do conhecimento adquirido em sapiência[2], e da incorporação dessa sapiência para toda a vida. Eliot dizia: "Qual o conhecimento que perdemos na informação, qual a sapiência (*wisdom*) que perdemos no conhecimento?" Na educação, trata-se de transformar as informações em conhecimento, de transformar o conhecimento em sapiência, isso se orientando segundo as finalidades aqui definidas.

[1] *L'Évolution pédagogique en France*, PUF, 1890, p. 38.
[2] Palavra antiga que engloba "sabedoria" e "ciência".

A escola de vida e a compreensão humana

Quando consideramos os termos "cultura das humanidades", é preciso pensar a palavra "cultura", em seu sentido antropológico: uma cultura fornece os conhecimentos, valores, símbolos que orientam e guiam as vidas humanas. A cultura das humanidades foi, e ainda é, para uma elite, mas de agora em diante deverá ser, para todos, uma preparação para a vida.

Literatura, poesia e cinema devem ser considerados não apenas, nem principalmente, objetos de análises gramaticais, sintáticas ou semióticas, mas também *escolas de vida, em seus múltiplos sentidos*:

— Escolas da língua, que revela todas as suas qualidades e possibilidades através das obras dos escritores e poetas, e permite que o adolescente — que se apropria dessas riquezas — possa expressar-se plenamente em suas relações com o outro.

— Escolas, como dissemos no capítulo precedente, da qualidade poética da vida e, correlativamente, da emoção estética e do deslumbramento.

— Escolas da descoberta de si, em que o adolescente pode reconhecer sua vida subjetiva na dos personagens de romances ou filmes. Pode descobrir a manifestação de suas aspirações, seus problemas, suas verdades, não só nos livros de idéias, mas também, e às vezes mais profundamente, em um poema ou um romance. Livros constituem "experiências de verdade", quando nos desvendam e configuram uma verdade ignorada, escondida, profunda, informe, que trazemos em nós, o que nos proporciona o duplo encantamento da descoberta de nossa verdade na descoberta de uma verdade exterior a nós, que se acopla a nossa verdade, incorpora-se a ela e torna-se a nossa verdade[3]. É o que ocorre freqüentemente com obras como *Uma temporada no inferno*, que — conforme a extraordinária frase

[3] Permitam-me esta confidência sobre a relação entre o livro e o viver: nunca deixei de ser levado pelo viver, mas os livros foram onipresentes em meu viver e agiram

de Heráclito sobre o oráculo de Delfos — "não afirma, não esconde, mas sugere". Que beleza favorecer tais descobertas!

— Escolas da complexidade humana. Aqui retomamos o que indicamos no capítulo precedente, porque o conhecimento da complexidade humana faz parte do conhecimento da condição humana; e esse conhecimento nos inicia a viver, ao mesmo tempo, com seres e situações complexas.

Como é sabido desde Shakespeare, e como diz Geneviève Mathis, "uma única obra literária encerra um infinito cultural que engloba ciência, história, religião, ética..."[4]. É o romance que expande o domínio do dizível à infinita complexidade de nossa vida subjetiva, que utiliza a extrema precisão da palavra, a extrema sutileza da análise, para traduzir a vida da alma e do sentimento. É no romance ou no filme que reconhecemos os momentos de verdade do amor, o tormento das almas dilaceradas, e descobrimos as profundas instabilidades da identidade, como em Dostoievski; a multiplicidade interior de uma mesma pessoa, em Proust; assim como, em *Pai Goriot* e *Guerra e paz*, a transformação dos seres, confrontados com o destino social ou histórico, levados pela torrente de acontecimentos que podem nos tornar heróis, mártires, covardes, carrascos. É no romance, no teatro, no filme, que percebemos que *Homo sapiens* é, ao mesmo tempo, indissoluvelmente, *Homo demens*. É no romance, no filme, no poema, que a existência revela sua miséria e sua grandeza trágica, com o risco de fracasso, de erro, de loucura. É na morte de nossos heróis que temos nossas primeiras experiências da morte. É, pois, na literatura que o ensino sobre a condição humana pode adquirir forma vívida e ativa, para esclarecer cada um sobre sua própria vida. O adolescente não tem necessidade de literatura diluída, dita "para a

---

sobre ele. O livro sempre estimulou, elucidou, guiou meu viver, e, reciprocamente, meu viver, para sempre interrogador, nunca deixou de recorrer ao livro.

[4] "A complexidade dentro do ensino das letras", comunicação no Congresso interlatino sobre o pensamento complexo, Rio, setembro de 1998.

juventude"; como disse Yves Bonnefoy, "esses jovens seres esperam que grandes sinais, carregados de mistério e gravidade, sejam erguidos diante deles, pois bem sabem que, breve, terão de enfrentar o mistério e a gravidade da vida"[5].

Aqui, o filósofo e o psicólogo deveriam confirmar que todo indivíduo, mesmo o mais confinado na mais banal das vidas, constitui, em si mesmo, um cosmo, como acusamos no capítulo 3, pp. 36-37.

— Escolas de compreensão humana. No âmago da leitura ou do espetáculo cinematográfico, a magia do livro ou do filme faz-nos compreender o que não compreendemos na vida comum. Nessa vida comum, percebemos os outros apenas de forma exterior, ao passo que na tela e nas páginas do livro eles nos surgem em todas as suas dimensões, subjetivas e objetivas.

A literatura "é a única que sabe representar e elucidar as situações de incomunicabilidade, de fechamento em si, qüiproquós cômicos ou trágicos. O leitor descobre também as causas dos mal-entendidos e aprende a compreender os incompreendidos" (Geneviève Mathis[6]).

Podemos compreender daí que não se deve reduzir um ser à mínima parcela de si mesmo, nem à parcela ruim de seu passado. Enquanto na vida comum apressamo-nos em qualificar de criminoso aquele que cometeu um crime, reduzindo todos os outros aspectos de sua vida e de sua pessoa a esse único traço, descobrimos, em seus múltiplos aspectos, os reis *gangsters* de Shakespeare e os *gangsters* reis dos *films noirs*. Podemos ver como um criminoso pode transformar-se, redimir-se, como Jean Valgean e Raskolnikov. O que sente repugnância pelo vagabundo que encontra na rua simpatiza de todo o coração com o vagabundo Carlitos, no cinema. Enquanto, na vida quotidiana, somos quase indiferentes às misérias físicas e morais,

[5] "L'enseignement de la poésie", in *Quels savoirs enseigner dans les lycées*, ministère de l'Éducation nationale, CNDP, Paris, 1998.

[6] *Op. cit.*

sentimos a comiseração, a piedade e a bondade, ao ler um romance ou ver um filme.

Enfim, podemos aprender as maiores lições da vida: a compaixão pelo sofrimento de todos os humilhados e a verdadeira compreensão.

Literatura, poesia, cinema, psicologia, filosofia deveriam convergir para tornar-se escolas da compreensão. A ética da compreensão humana constitui, sem dúvida, uma exigência chave de nossos tempos de incompreensão generalizada: vivemos em um mundo de incompreensão entre estranhos, mas também entre membros de uma mesma sociedade, de uma mesma família, entre parceiros de um casal, entre filhos e pais. É o caso de se perguntar se as chaves psicopsicanalíticas, difundidas de forma dogmática e reducionista em nossa cultura (complexo de inferioridade, de Édipo, paranóia, esquizofrenia, sadomasoquismo etc.), não agravam a incompreensão, criando a ininteligibilidade reducionista.

Explicar não basta para compreender. Explicar é utilizar todos os meios objetivos de conhecimento, que são, porém, insuficientes para compreender o ser subjetivo.

A compreensão humana nos chega quando sentimos e concebemos os humanos como sujeitos; ela nos torna abertos a seus sofrimentos e suas alegrias. Permite-nos reconhecer no outro os mecanismos egocêntricos de autojustificação, que estão em nós, bem como as retroações positivas (no sentido cibernético do termo) que fazem degenerar em conflitos inexplicáveis as menores querelas. É a partir da compreensão que se pode lutar contra o ódio e a exclusão.

Enfrentar a dificuldade da compreensão humana exigiria o recurso não a ensinamentos separados, mas a uma pedagogia conjunta que agrupasse filósofo, psicólogo, sociólogo, historiador, escritor, que seria conjugada a uma iniciação à lucidez.

A iniciação à lucidez

A iniciação à lucidez é inseparável, ela própria, de uma iniciação à onipresença do problema do erro.

É necessário, e isso desde a escola primária, que toda percepção seja uma tradução reconstrutora realizada pelo cérebro, a partir de terminais sensoriais, e que nenhum conhecimento possa dispensar interpretação. Assim, a partir de testemunhos contraditórios do mesmo acontecimento, podemos mostrar que, à vista de um acidente de carro, por exemplo, pode haver falsas percepções que comportam, em geral, racionalizações alucinatórias. Podemos ilustrar casos de percepção imperfeita, por hábito ou por atenção maldefinida, desatenção a um detalhe insignificante, interpretação precipitada de elemento inusitado e, sobretudo, deficiência de visão de conjunto, ou ausência de reflexão. É preciso ilustrar os casos de memorização demasiado segura, que se autoconfirma na repetição de uma lembrança deformada. Da mesma maneira, é preciso observar que uma preocupação de inteligibilidade, demasiado fraca, leva a ignorar a significação de um fato ou de um acontecimento, ao passo que uma preocupação excessivamente forte de inteligibilidade leva a um erro racionalizador que altera essa significação. Serão dados exemplos de decisões desastrosas, tomadas não apenas por irreflexão, cinismo ou irresponsabilidade, mas também por processos psíquicos de racionalização absurda ou ocultação inconsciente, destinados a preservar a nossa paz de espírito.

Progressivamente, é no ensino secundário que se dará destaque à oposição entre a racionalização, sistema lógico de explicação, mas privado de fundamento empírico, e a racionalidade, que procura unir a coerência à experiência; e, no ensino superior, tratar-se-á dos limites da lógica e das necessidades de uma racionalidade não somente crítica, mas também autocrítica.

Assim, da psicologia do conhecimento e da permanente aplicação dessa psicologia em si mesmo, passar-se-á à epistemologia e ao conhecimento crítico do conhecimento, que recorrerá às ciências cognitivas, ainda que tão mal interligadas.

O aprendizado da auto-observação faz parte do aprendizado da lucidez. A aptidão reflexiva do espírito humano, que o torna capaz de considerar-se a si mesmo, ao se desdobrar — aptidão que certos autores como Montaigne ou Maine de Biran exerceram admiravelmente —, deveria ser encorajada e estimulada em todos. Seria preciso ensinar, de maneira contínua, como cada um produz a mentira para si mesmo, ou *self-deception*. Trata-se de exemplificar constantemente como o egocentrismo autojustificador e a transformação do outro em bode expiatório levam a essa ilusão, e como concorrem para isso as seleções da memória que eliminam o que nos incomoda e embelezam o que nos favorece (seria o caso de estimular a escrita de um diário e a reflexão sobre os acontecimentos vivenciados).

Finalmente, seria preciso demonstrar que a aprendizagem da compreensão e da lucidez, além de nunca ser concluída, deve ser continuamente recomeçada (regenerada).

A introdução à noosfera

Ainda não existe, infelizmente, uma noologia, destinada ao âmbito do imaginário, dos mitos, dos deuses, das idéias[7], ou seja, a noosfera.

Alimentamos com nossas crenças ou nossa fé os mitos ou idéias oriundos de nossas mentes, e esses mitos ou idéias ganham consistência e poder. Não somos apenas possuidores de idéias, mas somos também possuídos por elas, capazes de morrer ou matar por uma idéia.

Assim, seria preciso ajudar as mentes adolescentes a se movimentar na noosfera (mundo vivo, virtual e imaterial, constituído de informações, representações, conceitos, idéias, mitos que gozam de uma relativa autonomia e, ao mesmo tempo, são dependentes de

[7] Cf. E. Morin, *La Méthode*, t. 4: *Les Idées*, Éd. du Seuil, "Points Essais", nº 303.

nossas mentes e de nossa cultura) e ajudá-las a instaurar o convívio com suas idéias, nunca esquecendo que estas devem ser mantidas em seu papel mediador, impedindo que sejam identificadas com o real. As idéias não são apenas meios de comunicação com o real; elas podem tornar-se meios de ocultação. O aluno precisa saber que os homens não matam apenas à sombra de suas paixões, mas também à luz de suas racionalizações.

A filosofia da vida

O aprendizado da vida deve dar consciência de que a "verdadeira vida", para usar a expressão de Rimbaud, não está tanto nas necessidades utilitárias — às quais ninguém consegue escapar —, mas na plenitude de si e na qualidade poética da existência, porque viver exige, de cada um, lucidez e compreensão ao mesmo tempo, e, mais amplamente, a mobilização de todas as aptidões humanas.

É para o aprendizado da vida que o ensino da filosofia deve ser revitalizado. Então, ele poderia fornecer o indispensável suporte dos dois produtos mais preciosos da cultura européia: a racionalidade crítica e a autocrítica, que permitem, justamente, a auto-observação e a lucidez; e, por outro lado, a fé incerta, que será objeto do capítulo seguinte.

A filosofia, ao contribuir para a consciência da condição humana e o aprendizado da vida, reencontraria, assim, sua grande e profunda missão. Como já acusam as salas e os bares de filosofia, a filosofia diz respeito à existência de cada um e à vida quotidiana. A filosofia não é uma disciplina, mas uma força de interrogação e de reflexão dirigida não apenas aos conhecimentos e à condição humana, mas também aos grandes problemas da vida. Nesse sentido, o filósofo deveria estimular, em tudo, a aptidão crítica e autocrítica, insubstituíveis fermentos da lucidez, e exortar à compreensão humana, tarefa fundamental da cultura.

Capítulo 5

ENFRENTAR A INCERTEZA

(Aprender a viver, continuação)

"Os deuses nos inventam muitas surpresas:
o esperado não acontece,
e um deus abre caminho ao inesperado."

Eurípides, final de *Medéia*

"O corpo de ensino tem de chegar aos postos avançados do mais extremo perigo, que é constituído pela permanente incerteza do mundo."

Martin Heidegger

"Se não esperas o inesperado, não o encontrarás."

Heráclito

"A era que virá há de nos mostrar o caos por detrás da lei."

J. A. Wheeler

A maior contribuição de conhecimento do século XX foi o conhecimento dos limites do conhecimento. A maior certeza que nos foi dada é a da indestrutibilidade das incertezas, não somente na ação, mas também no conhecimento. "Um único ponto quase certo no naufrágio (das antigas certezas absolutas): o ponto de interrogação", diz o poeta Salah Stétié.

Uma das maiores conseqüências desses dois aparentes defeitos — de fato, verdadeiras conquistas do espírito humano — é a de nos pôr em condição de enfrentar as incertezas e, mais globalmente, o destino incerto de cada indivíduo e de toda a humanidade.

Aqui, convém fazer a convergência de diversos ensinamentos, mobilizar diversas ciências e disciplinas, para ensinar a enfrentar a incerteza.

A incerteza física e biológica

A primeira revolução científica de nosso século, iniciada pela termodinâmica de Boltzmann, deflagrada pela descoberta dos *quanta*, seguida pela desintegração do Universo de Laplace, mudou profundamente nossa concepção do mundo. Minou a validade absoluta do princípio determinista[1]. Subverteu a Ordem do mundo, grandioso resquício da divina Perfeição, para substituí-la por uma relação de diálogo (ao mesmo tempo complementar e antagônica) entre ordem e desordem. Revelou os limites dos axiomas identificativos da lógica clássica. Restringiu o calculável e o mensurável a uma dependência do incalculável e do imensurável. Provocou um questionamento da racionalidade científica, exemplificada pelas obras de Bachelard, Piaget, Popper, Lakatos, Kuhn, Holton, Feyerabend, notadamente.

Aprendemos que tudo aquilo que é só pode ter nascido do caos e da turbulência, e precisa resistir a enormes forças de destruição. O cosmo se organizou ao se desintegrar. A história do Universo é uma gigantesca aventura criativa e destrutiva, marcada, desde o início, pelo quase aniquilamento da antimatéria pela matéria, acentuada pela queima seguida da autodestruição de numerosos astros, da coli-

[1] No meio dos fenômenos deterministas, que obedecem a uma dinâmica não linear, há de fato uma incerteza para predizer, devido à ausência de informação completa sobre os estados iniciais ou sobre a emaranhada multiplicidade das interações. É o caos determinista.

são de estrelas e galáxias; aventura em que uma das metamorfoses marginais constituiu-se pelo surgimento da vida no terceiro planeta de um pequeno sol de subúrbio.

A Biologia, por seu turno, desembocou na incerteza. Se o aparecimento da vida corresponde à transformação de um turbilhão de macromoléculas e a uma organização de novo tipo, capaz de se auto-organizar, autoconsertar, auto-reproduzir, apta a retirar de seu meio ambiente a organização, a energia e a informação, sua origem não parece obedecer a nenhuma necessidade inevitável. Continua sendo um mistério sobre o qual não deixam de ser elaborados roteiros[2]. Seja como for, a vida só pode ter nascido de uma mistura de acaso e de necessidade, cuja composição não sabemos dosar[3]. Ainda estamos profundamente inseguros quanto ao caráter inevitável ou fortuito, necessário ou miraculoso, do aparecimento da vida; e essa incerteza se reflete evidentemente no sentido de nossas vidas humanas[4].

---

[2] Cf. M. Eigen, "Self-Organization of the Matter and the Evolution of Biological Macromolecules", in *Naturwissenschaft*, vol. 58, nº 465, a que se deve acrescentar o roteiro da origem extraterrestre da vida, proposto por Crick.

[3] Para essas noções, cf. E. Morin, *La Méthode*, t. 2: *La Vie de la vie*, Éd. du Seuil, "Points Essais", nº 175, pp. 177-92.

[4] O aparecimento da vida será um acontecimento único, devido a um acúmulo de acasos altamente improváveis, ou, pelo contrário, fruto de um processo evolutivo, se não necessário, pelo menos provável?

No sentido da probabilidade:

— a formação espontânea de macromoléculas adequadas à vida em certas condições, que podem ser reproduzidas em laboratório;

— a descoberta de aminoácidos nos meteoros precursores dos da vida;

— a demonstração da termodinâmica prigoginiana de que, em condições de instabilidade, há formação espontânea de organização, donde a probabilidade de uniões organizadas cada vez mais complexas de macromoléculas, em condições termodinâmicas apropriadas (turbilhões);

— a possibilidade, em condições de encontro e durante um longo período, de que seja realizado um processo seletivo a favor de uniões moleculares ARN/proteínas, que se tornam aptas a se autocontestar e a metabolizar;

— a enorme probabilidade de que exista, em um Universo de milhares de mi-

Se as criações de ramificações e de espécies correspondem a reorganizações e mutações genéticas, elas possuem um componente aleatório. A aventura da vida é, em si mesma, uma história atropelada, com catástrofes que provocam extinções em massa entre as espécies e o surgimento de novas espécies. No meio dessa aventura, o ramo de um ramo de um ramo de antropóides foi lançado, por sorte ou por azar, na nova aventura da hominização...

O Sol brilha à temperatura de sua explosão. A vida organiza-se à temperatura de sua destruição. O homem talvez não se tivesse desenvolvido se não lhe fosse preciso responder a tantos desafios mortais, desde o avanço da savana sobre a floresta tropical até a glaciação das regiões temperadas. A aventura da hominização deu-se em meio à

---

lhares de astros, milhões de planetas análogos à Terra; portanto, a probabilidade de existência de seres vivos em outras regiões do cosmo.

No sentido da improbabilidade, há os seguintes argumentos:

— o salto qualitativo/quantitativo (a menor bactéria é um complexo de milhões de moléculas) e a descontinuidade radical entre a mais complexa das organizações macromoleculares e a auto-ecorreorganização viva tornam esta altamente improvável;

— a organização viva é, em si mesma, fisicamente improvável, tendo em vista que, em conformidade com o segundo princípio da termodinâmica, é a dispersão dos constituintes moleculares do ser vivo que obedece à probabilidade física, a qual se realiza, efetivamente, na morte;

— muitos indícios sugerem que a vida teria nascido de uma só vez, quer dizer, que todos os seres vivos teriam um único ancestral, o que reforça a hipótese de que em sua origem haveria um acaso extremamente improvável;

— não há nenhum sinal, nenhum vestígio de vida no Sistema Solar, nenhuma mensagem que nos venha do cosmo;

— de mais a mais, o argumento de que teria havido planetas que teriam gozado de condições análogas a nossa não conta mais, se a vida, nesta própria Terra, foi fruto de um acaso inaudito.

Não podemos descartar a terceira hipótese. Talvez existam, no Universo, organizações muito complexas dotadas de propriedades de autonomia, de inteligência, até de pensamento, mas que não estariam fundadas em uma organização núcleo-protéica e seriam (atualmente? para sempre?) inacessíveis a nossa percepção e a nosso entendimento.

penúria e ao sofrimento. *Homo* é filho de Poros e Penia. Tudo o que vive deve regenerar-se incessantemente: o Sol, o ser vivo, a biosfera, a sociedade, a cultura, o amor. É nossa constante desgraça e também é nossa graça e nosso privilégio: tudo que há de precioso na terra é frágil, raro e destinado a futuro incerto. O mesmo acontece com a nossa consciência.

Assim, quando conservamos e descobrimos novos arquipélagos de certezas, devemos saber que navegamos em um oceano de incertezas.

A incerteza humana

A condição humana está marcada por duas grandes incertezas: a incerteza cognitiva e a incerteza histórica.

Há três princípios de incerteza no conhecimento:

— o primeiro é cerebral: o conhecimento nunca é um reflexo do real, mas sempre tradução e construção, isto é, comporta risco de erro;

— o segundo é físico: o conhecimento dos fatos é sempre tributário da interpretação;

— o terceiro é epistemológico: decorre da crise dos fundamentos da certeza, em filosofia (a partir de Nietzsche), depois em ciência (a partir de Bachelard e Popper).

Conhecer e pensar não é chegar a uma verdade absolutamente certa, mas dialogar com a incerteza.

A incerteza histórica está ligada ao caráter intrinsecamente caótico da história humana. A aventura histórica começou há mais de 1.000 anos. Foi marcada por criações fabulosas e destruições irremediáveis. Nada resta dos impérios egípcio, assírio, babilônico, persa, nem do Império Romano, que chegara a parecer eterno. Assustadoras regressões de civilizações e economias seguiram-se a progressões temporárias. A História está sujeita aos acidentes, às perturbações e, por vezes, às terríveis destruições maciças de populações e civilizações[5].

Sem dúvida, a história humana sofre determinações sociais e econômicas muito fortes, mas pode ser desviada ou contornada pelos acontecimentos ou acidentes. Não há leis da História. Pelo contrário, há o fracasso de todos os esforços para cristalizar a história humana, eliminar dela acontecimentos e acidentes, submetê-la ao jugo de um determinismo econômico-social e/ou levá-la a obedecer a um progresso telecomandado.

E chegamos à grande revelação do fim do século XX: nosso futuro não é teleguiado pelo progresso histórico. Os erros da predição futurológica, os inúmeros fracassos da predição econômica (apesar e por causa de sua sofisticação matemática), a derrota do progresso garantido, a crise do futuro, a crise do presente introduziram o vírus da incerteza em toda parte.

Estamos destinados à incerteza do futuro que as religiões da salvação — inclusive a salvação terrestre — acreditavam ter dominado: "Os bolcheviques não queriam ou não podiam compreender que o homem é um ser frágil e inseguro, que realiza uma obra insegura, em um mundo inseguro"[6].

Já estávamos na aventura desconhecida, desde a aurora da humanidade, desde a aurora dos tempos históricos; estamos mais que nunca e devemos estar conscientes. O curso seguido pela história da era planetária desgarrou-se da órbita do tempo reiterativo das civilizações tradicionais, para entrar, não na via garantida do Progresso, mas em uma incerteza insondável.

[5] Cf. o belo texto de Gruzinski, "Événements dans l'histoire: accidents, catastro phes, bifurcations", in *Relier les connaissances*, Éd. du Seuil, 1999.
[6] D. Cosic, *Le Temps du mal*, Éd. L'Âge d'Homme, 1990, t. 1, p. 186.

Todos os grandes acontecimentos do século — a deflagração da Primeira Guerra Mundial, a Revolução Soviética no império czarista, as vitórias do comunismo e do nazismo, o golpe teatral do pacto germânico-soviético, de 1939, a derrota da França, as resistências de Moscou e Stalingrado — foram inesperados; até o inesperado de 1989: a queda do muro de Berlim, o colapso do império soviético, a guerra da Iugoslávia. Hoje estamos em Escuridão e bruma, e ninguém pode predizer o amanhã.

De modo que a consciência da História deve servir não só para reconhecermos os caracteres, ao mesmo tempo determinados e aleatórios do destino humano, mas também para nos abrirmos à incerteza do futuro.

É preciso, portanto, prepararmo-nos para o nosso mundo incerto e aguardar o inesperado.

Os três viáticos

Preparar-se para nosso mundo incerto é o contrário de se resignar a um ceticismo generalizado.

É esforçar-se para pensar bem, é exercitar um pensamento aplicado constantemente na luta contra falsear e mentir para si mesmo, o que nos leva, uma vez mais, ao problema da "cabeça bem-feita".

É também estar consciente da ecologia da ação.

A ecologia da ação tem, como primeiro princípio, o fato de que toda ação, uma vez iniciada, entra num jogo de interações e retroações no meio em que é efetuada, que podem desviá-la de seus fins e até levar a um resultado contrário ao esperado; assim, a reação aristocrática do final do século XVIII, na França, desencadeou uma revolução democrática; um movimento revolucionário na Espanha, em 1935-1936, desencadeou um golpe reacionário.

O segundo princípio da ecologia da ação diz que as conseqüências últimas da ação são imprevisíveis; de modo que, em 1789, ninguém poderia predizer o Terror, o Termidor, o Império, a Restauração. A Revolução Soviética do século XX foi uma conseqüência indireta da Revolução Francesa, que ainda não esgotou todas as suas conseqüências...

O que nos leva ao segundo viático: a estratégia.

A estratégia opõe-se ao programa, ainda que possa comportar elementos programados. O programa é a determinação *a priori* de uma seqüência de ações tendo em vista um objetivo. O programa é eficaz, em condições externas estáveis, que possam ser determinadas com segurança. Mas as menores perturbações nessas condições desregulam a execução do programa e o obrigam a parar. A estratégia, como o programa, é estabelecida tendo em vista um objetivo; vai determinar os desenvolvimentos da ação e escolher um deles em função do que ela conhece sobre um ambiente incerto. A estratégia procura incessantemente reunir as informações colhidas e os acasos encontrados durante o percurso.

Todo o nosso ensino tende para o programa, ao passo que a vida exige estratégia e, se possível, serendipididade e arte.

É justamente uma reversão de conceito que deveria ser efetuada a fim de preparar para os tempos de incerteza.

O terceiro viático é o desafio.

Uma estratégia traz em si a consciência da incerteza que vai enfrentar e, por isso mesmo, encerra uma aposta. Deve estar plenamente consciente da aposta, de modo a não cair em uma falsa certeza. Foi a falsa certeza que sempre cegou os generais, os políticos, os empresários, e os levou ao desastre.

A aposta é a integração da incerteza à fé ou à esperança. A aposta não está limitada aos jogos de azar ou aos empreendimentos perigosos. Ela diz respeito aos envolvimentos fundamentais de nossas vidas. Assim, Pascal, consciente de ser impossível dar uma prova absolutamente segura de seu Deus, reconheceu a inevitabilidade da aposta. É o que fez o marxista Lucien Goldmann sobre o advento de uma sociedade sem classes. A fé incerta, como em Pascal, Dostoievski, Unamuno, Adorno, Goldmann, é um dos mais preciosos suportes que a cultura européia produziu; o outro é a racionalidade autocrítica, que constitui nossa melhor imunização contra o erro.

Cada um deve estar plenamente consciente de que sua própria vida é uma aventura, mesmo quando se imagina encerrado em uma segurança burocrática; todo destino humano implica uma incerteza irredutível, até na absoluta certeza, que é a da morte, pois ignoramos a data. Cada um deve estar plenamente consciente de participar da aventura da humanidade, que se lançou no desconhecido em velocidade, de agora em diante, acelerada.

Capítulo 6

A APRENDIZAGEM CIDADÃ

A EDUCAÇÃO deve contribuir para a autoformação da pessoa (ensinar a assumir a condição humana, ensinar a viver) e ensinar como se tornar cidadão. Um cidadão é definido, em uma democracia, por sua solidariedade e responsabilidade em relação a sua pátria. O que supõe nele o enraizamento de sua identidade nacional.

Mas o que é uma pátria? O que é uma nação? Essas questões capitais não encontram resposta em nenhum programa ou manual. É possível, claro, encontrar indicadores secundários no direito constitucional e no direito internacional, mas não o essencial. Por isso é que me permito abordar este problema para demonstrar que ele deveria ser obrigatoriamente tratado.

O Estado-Nação

A incrível realidade do Estado-Nação, que, há dois séculos, ainda era minoritária, e desde então invadiu e dominou o planeta, continua pouco compreendida e, menos ainda, pensada. Os historiadores descrevem a formação e o desenvolvimento dos Estados-Nação, mas, à exceção de Toynbee, não cogitam sobre sua natureza. A Sociologia trata das categorias de sociedades (tradicional, industrial, pós-industrial), mas ignora a natureza nacional dessas sociedades. O marxismo minimizou a realidade da nação, quando enfatizou o que a divide (conflitos de classe), e não o que a unifica[1].

Uma das maiores dificuldades em pensar o Estado-Nação reside em seu caráter complexo. De fato, *o Estado-Nação completo é um ser ao mesmo tempo territorial, político, cultural, histórico, místico, religioso.*

O Estado é um "aparelho" que dispõe de aparelhos adicionais (forças armadas, polícia, justiça, eventualmente, a Igreja), o que exigiria um esclarecimento de conceito de aparelho[2].

COMUNIDADE/SOCIEDADE

O Estado-Nação é uma sociedade territorialmente organizada. Este tipo de sociedade é complexa em sua dupla natureza, em que é preciso não só opor, mas também associar, fundamentalmente, a noção de *gemeineschaft* ou "comunidade" e a noção de *gesellschaft* ou "sociedade". A nação é uma *sociedade*, em suas relações e interesses, competições, rivalidades, ambições, conflitos sociais e políticos. Mas é, igualmente, uma *comunidade* de identidade, uma comunidade de atitudes e uma comunidade de reações ante o estrangeiro e, sobretudo, ante o inimigo. A história do início do século XX revela o terrível conflito interno nas grandes nações ocidentais, que chega, às vezes, à guerra civil, e, ao mesmo tempo, sua extraordinária solidariedade, ante o inimigo externo.

---

[1] Houve, entretanto, a tentativa de Otto Bauer de conceber o fenômeno nacional como comunidade de destino, após o ensaio de Stalin, *O marxismo e a questão nacional.*

[2] Aqui, remeto à minha análise sobre a noção de aparelho (pp. 239-47) e Estado-aparelho (pp. 239-49), em *La Méthode*, t. 1: *La Nature de la nature*, Éd. du Seuil, "Points Essais", nº 123.

Comunidade de destino

A comunidade tem caráter cultural/histórico. É cultural por seus valores, usos e costumes, normas e crenças comuns; é histórica pelas transformações e provações sofridas ao longo do tempo. Segundo a expressão de Otto Bauer, é *uma comunidade de destino.*

Esse destino comum, memorizado, transmitido, de geração a geração, pela família, por cânticos, músicas, danças, poesias e livros; depois pela escola, que integra o passado nacional às mentes infantis, onde são ressuscitados os sofrimentos, as mortes, as vitórias, as glórias da história nacional, os martírios e proezas de seus heróis. Assim, a própria identificação com o passado torna presente a comunidade de destino.

A entidade mitológica

A comunidade de destino é tanto mais profunda quando selada por uma fraternidade mitológica. De fato, o Estado-Nação é uma pátria, uma entidade consubstancialmente maternal/paternal, que contém, em seu feminino, o masculino da paternidade. Transfere, para a ampla escala de populações de milhões de indivíduos, muitas vezes oriundos de etnias bem diversas, as calorosas virtudes das relações familiares entre pessoas pertencentes a um mesmo lar. Assim, a Nação, de substância feminina, comporta em si as qualidades da Terra-Mãe (Pátria-Mãe), do Lar (*foyer*, *home*, *Heimat*), e ela desperta, nos momentos comunitários, os sentimentos de amor que são, naturalmente, despertados pela mãe. Já o Estado é de substância paternal. Dispõe da autoridade absoluta e incondicional do pai-patriarca, a quem se deve obediência. A relação matripatriótica com o Estado-Nação desperta o sentimento de fraternidade mística dos "filhos da pátria", perante o inimigo.

O mito nacional é bipolarizado. No primeiro pólo, há o caráter espiritual da fraternidade entre "filhos da pátria". No segundo pólo, a fraternidade mitológica surge como uma fraternidade biológica, que une, entre si, seres do mesmo sangue; o que tende a despertar o mito secundário (e biologicamente equivocado) da "raça" comum. Assim, a idéia de nação contém um racismo virtual, que se torna presente quando o segundo pólo prepondera.

A "RELIGIÃO" NACIONAL

A mitologia matripatriótica suscita uma verdadeira religião do Estado-Nação, que inclui cerimônias de exaltação, objetos sagrados (bandeira, monumento aos mortos), o culto de adoração à Mãe-Pátria, os cultos personalizados aos heróis e mártires. Como toda religião, ela se alimenta do amor, que é capaz de inspirar fanatismo e ódio.

O Estado-Nação tem raízes na concreção material da terra, que sustenta e constitui seu território e, ao mesmo tempo, encontra nele sua concreção mitológica, a da Terra-Mãe, da Mãe-Pátria. Há como que uma rotação ininterrupta do geofísico ao mitológico e, ao mesmo tempo, do político ao cultural e religioso. O mito não é a superestrutura da nação: é o que gera a solidariedade e a comunidade; é o cimento necessário a toda sociedade e, numa sociedade complexa, é o único antídoto contra a pulverização individual e a destruidora deflagração de conflitos. E assim, em uma rotação autogeradora do todo, por seus elementos constitutivos, e dos elementos constitutivos pelo todo, o mito gera aquilo que o gera, isto é, o próprio Estado-Nação.

RUMO À "ULTRAPASSAGEM"

Atualmente, tudo indica que o poder absoluto do Estado-Nação poderia e deveria ser ultrapassado. Primeiro, no próprio quadro interno da nação, o Estado tende a se tornar demasiado abstrato e homogeneizador, devido a seu próprio desenvolvimento técnico-burocrático. Depois, mas principalmente, todos os grandes problemas exigem soluções multinacionais, transnacionais, continentais, até planetárias, e necessitam de sistemas associativos, confederativos ou federativos, metanacionais.

Contudo, se é bem evidente que, em um certo número de países europeus, o nacionalismo agressivo/defensivo foi consideravelmente amenizado durante as intercomunicações que se seguiram à Segunda Guerra Mundial, não é menos evidente que o Estado-Nação está longe de ter-se tornado um fóssil histórico. Antes de tudo, não se pode esquecer, de modo algum, que a renovação das exacerbações nacionalistas, a partir de 1989, pode efetuar uma recontaminação de Leste para Oeste. Se, pelo contrário, sobrevier um apaziguamento dos nacionalismos no Leste, ainda assim, a múltipla resistência do Estado-Nação, tanto nas autonomias descentralizadas em seu âmbito interno, quanto no surgimento de instituições multinacionais, permanecerá forte o bastante para frear, ou melhor, estancar os processos que tendem a criar um sistema confederativo europeu e instâncias supranacionais de caráter planetário.

O velho internacionalismo subestimara a terrível realidade mitológico-religiosa do Estado-Nação. De agora em diante, trata-se não só de reconhecê-la, mas também de não tentar aboli-la. Trata-se de relativizá-la, como foi relativizada, mas não abolida, a realidade provincial, a realidade nacional. Mas, para isso, seria preciso que os sentimentos de solidariedade européia sejam ampliados e enraizados. Será preciso que os fundamentos mitológicos/religiosos da nação, seu caráter matripatriótico, sejam estendidos, não apenas ao âmbito de nosso continente — já marcado pela civilização que criou e por uma comunidade de destino cada vez mais evidente —, mas também ao conjunto de um planeta reconhecido pela espécie humana, a partir de agora, como único lar — *foyer, home, Heimat.* Tal como a comunidade nacional, a comunidade planetária tem seu inimigo, mas a diferença radical é que o inimigo está em nós mesmos e é difícil reconhecê-lo e enfrentá-lo. O resultado disso é que estamos apenas engatinhando nessas tomadas de consciência e novas solidariedades.

A identidade européia (experiência de identidade entre nações)

As histórias nacionais não podem ser compreendidas isoladamente da história européia. Seria preciso assinalar que a Europa moderna sai da crisálida medieval ao perder o mundo (queda de Bizâncio, 1453), ao descobrir o Novo Mundo (1492) e ao mudar o mundo (Copérnico, 1473-1543). Desenvolve-se em um turbilhão histórico onde desordens e antagonismos (lutas de Estados, lutas de classes, lutas de religiões, lutas de idéias), em vez de contrariá-los, favorecem os desenvolvimentos econômicos, políticos, sociais, culturais, não sem algumas enormes destruições. Os Estados nacionais tornam-se soberanos absolutos em relação a todas as instâncias que eram consideradas superiores, e estão constantemente em guerra; mas, até o final do século XIX, fazem e refazem coalizões para impedir a hegemonia de um único Estado sobre a Europa. Seria preciso assinalar que, em meio à Europa das guerras, desenvolve-se e propaga-se uma cultura européia, fundada não sobre um modelo, mas sobre o despertar da problematização; efetuada pela volta à fonte grega, que permite o despertar da filosofa e o avanço da ciência: esta cultura está fundada, ao mesmo tempo, sobre um diálogo (relação, simultaneamente, antagônica e complementar) entre religião e fé, de um lado, e razão e dúvida, do outro. A partir daí, pode-se acompanhar o desenvolvimento de uma cultura científica, técnica, ideológica, na qual emergiu uma concepção humanística e emancipadora do ser humano, em contradição, aliás, com a terrível opressão dominadora que a Europa impõe ao resto do mundo. Deverá ser apontado o caráter transeuropeu das grandes correntes culturais modernas iniciadas com o Renascimento, que parte da Toscana e atinge São Petersburgo, do Iluminismo, que parte de Paris, do romantismo, que parte de Iena, em suma, com as grandes correntes literárias, artísticas, filosóficas que atravessam a Europa até, e incluso, o surrealismo.

Os grandes temas europeus são propagados de Oeste a Leste: o Estado nacional, a abolição da escravatura, o humanismo, a democracia, o desenvolvimento técnico-científico. O leste europeu, entretanto, não foi apenas receptor mas, também, criador de civilização. No século XIX, a grande Rússia faz nascer a mais rica cultura, tanto poética e literária, como musical. O Império Otomano, que ameaçou Viena em duas oportunidades — nos séculos XVI e XVII —, é, como todo império, ao mesmo tempo opressor e civilizador. Permite a coexistência de etnias e de religiões, o que nenhum império ou reino ocidental foi capaz de tolerar. A Europa, em toda a sua riqueza, engloba, necessariamente, o Leste, o Norte e o Sul mediterrâneo.

Até meados do século XX, a Europa vivera inconscientemente uma comunidade de destino, mesmo durante as guerras que opunham e fortaleciam os Estados nacionais e que, por meio das reversões das alianças, impediam a preponderância de um Estado sobre os outros. Hoje, ela tenta reconstruir-se a partir de uma consciência e de uma vontade de destino comum. De modo que a consciência de pertencer à identidade européia poderia favorecer o desenvolvimento de uma cidadania européia.

A identidade terrena

Enfim, precisamos conceber uma história geral da humanidade que comece não em 1492, mas há muitos milhares e milhares de anos, com a dispersão do *Homo sapiens* em todo o planeta, inclusive nas ilhas do Pacífico. Após essa diáspora é que se operaram as grandes disjunções entre fragmentos de humanidade. A Ásia e a Europa ficaram praticamente isoladas uma da outra; o centro da África, a Oceania, as Américas viviam de modo fechado. Mas, em toda parte, formaram-se grandes civilizações. Uma nova história planetária tem início com Cristóvão Colombo e Vasco da Gama. Seria preciso assinalar que, desde o século XVI, duas globalizações, ao mesmo tempo interligadas e antagônicas, estão em curso: a globalização de dominação, colonização e exploração, e a das idéias humanistas, emancipadoras, internacionalistas, portadoras de uma consciência de humanidade comum.

É na segunda metade do século XX, depois da Segunda Guerra Mundial e da destruição nuclear de Hiroshima e Nagasaki, que surge uma consciência de comunidade de destino. Como diz Mireille Delmas-Marty: "Começamos a nos conceber como humanidade há cinqüenta anos."

Hoje, podemos conceber, ao mesmo tempo:

1. Uma comunidade de destino, no sentido em que todos os humanos estão sujeitos às mesmas ameaças mortais da arma nuclear (que continua a ser disseminada) e ao mesmo perigo ecológico da biosfera, que se agrava com o "efeito estufa" provocado pelo aumento do CO_2 na atmosfera, os desmatamentos em larga escala das grandes florestas tropicais produtoras de nosso oxigênio comum, a esterilização dos oceanos, mares e rios fornecedores de alimentos, as poluições sem conta, as catástrofes sem limites. A tudo isso, acrescente-se ainda a explosão mundial de novos vírus e antigos micróbios fortalecidos, a incontrolável transformação da economia mundial; finalmente, e sobretudo, a ameaça mundial polimorfa que retoma e produz a aliança entre duas barbáries: a barbárie de destruição e morte, que vem do fundo das eras, e a barbárie anônima e fria do mundo técnico-econômico.

2. Uma identidade humana comum: por mais diferentes que sejam seus genes, solos, comunidades, ritos, mitos e idéias, o *Homo sapiens* tem uma identidade comum a todos os seus representantes:

pertence a uma unidade genética de espécie, que torna possível a interfecundação entre todos os homens e mulheres, não importando a "raça"; essa unidade genética prolonga-se em unidade morfológica, anatômica, psicológica; a unidade cerebral do *Homo sapiens* manifesta-se na organização singular de seu cérebro, em relação ao dos outros primatas; enfim, existe uma unidade psicológica e afetiva: risos, lágrimas, sorrisos são diversamente modulados, é claro, inibidos ou desinibidos, segundo as culturas; mas, a despeito da extrema diversidade dessas culturas e dos modelos de personalidade que elas impõem, risos, lágrimas, sorrisos são universais, e seu caráter inato manifesta-se nos surdos-mudos-cegos de nascença, que sorriem, choram, riem sem que tenham podido imitar quem quer que seja.

3. Uma comunidade de origem terrestre, a partir de nossa ascendência e identidade antropóide, mamífera, vertebrada, que nos torna filhos da vida e filhos da Terra.

A consciência e o sentimento de pertencermos à Terra e de nossa identidade terrena são vitais atualmente. A progressão e o enraizamento desta consciência de pertencer a nossa pátria terrena é que permitirão o desenvolvimento, por múltiplos canais e em diversas regiões do globo, de um sentimento de religação e intersolidariedade, imprescindível para civilizar as relações humanas (ONGs, Sobrevivência Internacional, Anistia Internacional, Greenpeace etc. são pioneiros da cidadania terrena). Serão a alma e o coração da segunda globalização, produto antagônico da primeira, que permitirão humanizar essa globalização.

Existe uma correlação entre o desenvolvimento de nossa consciência de humanidade e a consciência de nossa pátria terrena. A pátria terrena comporta a salvaguarda das diversas pátrias, que podem, muito bem, enraizar-se em uma concepção mais profunda e mais vasta de "a pátria", desde que sejam abertas; e a condição necessária a essa abertura é a consciência de pertencer à Terra-Pátria.

* * *

Assim, devemos contribuir para a autoformação do cidadão e dar-lhe consciência do que significa uma nação. Mas precisamos também estender a noção de cidadania a entidades que ainda não dispõem de instituições prontas — como a Europa, para um europeu —, ou não dispõem absolutamente de instituições políticas comuns, como o planeta Terra. Uma tal formação deve permitir enraizar, dentro de si, a identidade nacional, a identidade continental e a identidade planetária.

Somos verdadeiramente cidadãos, dissemos, quando nos sentimos solidários e responsáveis. Solidariedade e responsabilidade não podem advir de exortações piegas nem de discursos cívicos, mas de um profundo sentimento de filiação (*affiliare*, de *filius*, filho), sentimento matripatriótico que deveria ser cultivado de modo concêntrico sobre o país, o continente, o planeta.

Capítulo 7

OS TRÊS GRAUS

EXAMINEMOS aqui, muito sucintamente, como divisar as finalidades enunciadas nos capítulos precedentes, para os três graus de ensino.

Primário

Em vez de destruir as curiosidades naturais a toda consciência que desperta, seria necessário partir das interrogações primeiras: o que é o ser humano? A vida? A sociedade? O mundo? A verdade?

A finalidade da "cabeça bem-feita" seria beneficiada por um programa interrogativo que partisse do ser humano.

É interrogando o ser humano que se descobriria sua dupla natureza: biológica e cultural. Por um lado, seria dado início à Biologia; daí, uma vez discernido o aspecto físico e químico da organização biológica, seriam situados os domínios da Física e da Química; depois, as ciências físicas conduziriam à inserção do ser humano no cosmo. Por outro lado, seriam descobertas as dimensões psicológicas, sociais, históricas da realidade humana. Assim, desde o princípio, ciências e disciplinas estariam reunidas, ramificadas umas às outras, e o ensino poderia ser o veículo entre os conhecimentos parciais e um conhecimento do global. De tal sorte que a Física, a Química e a Biologia possam ser diferenciadas, ser matérias distintas, mas não isoladas, porquanto sempre inscritas em seu contexto.

* * *

Para compreender o que insere o homem no mundo físico e vivo, e o que o diferencia dele, seria contada a aventura cósmica, tal como podemos discerni-la atualmente (com indicações do que é hipotético, do que é desconhecido, do que é misterioso): a formação das partículas, a aglomeração da matéria em protogaláxias; depois, a formação das galáxias e estrelas, a formação dos átomos de carbono entre os céus anteriores ao nosso; depois, a constituição de macromoléculas na terra, provavelmente com o concurso de materiais vindos de meteoritos. O problema do nascimento da vida seria exposto (com seus enigmas apontados no capítulo 5, p. 57), seguido das ramificações de seus desenvolvimentos evolutivos.

A partir da aventura da hominização (com indicação de todos os enigmas que ainda encerra), seria colocado o problema do surgimento do *Homo sapiens*, da cultura, da linguagem, do pensamento, o que permitiria introduzir a Psicologia e a Sociologia.

As aulas de conexão bioantropológicas deverão ser dadas com a indicação de que o homem é, ao mesmo tempo, totalmente biológico e totalmente cultural, e que o cérebro estudado em Biologia e a mente estudada em Psicologia são duas faces de uma mesma realidade, destacando-se o fato de que o surgimento da mente supõe a linguagem e a cultura.

Assim, desde a escola primária, dar-se-ia início a um percurso que ligaria a indagação sobre a condição humana à indagação sobre o mundo.

À medida que as matérias são distinguidas e ganham autonomia, é preciso *aprender a conhecer*, ou seja, a separar e unir, analisar e sintetizar, ao mesmo tempo. Daí em diante, seria possível aprender a considerar as coisas e as causas.

O que é uma coisa? É preciso ensinar que as coisas não são apenas coisas[1], mas também sistemas que constituem uma unidade, a qual engloba diferentes partes[2]. Não mais objetos fechados, mas entidades inseparavelmente ligadas a seu meio ambiente, que só podem ser realmente conhecidas quando inseridas em seu contexto. No que diz respeito aos seres vivos, eles se comunicam, entre si e com o meio ambiente — comunicações que fazem parte de sua organização e de sua própria natureza.

O que é uma causa? É preciso aprender a ultrapassar a causalidade linear causa → efeito. Compreender a causalidade mútua inter-relacionada, a causalidade circular (retroativa, recursiva), as incertezas da causalidade (por que as mesmas causas não produzem sempre os mesmos efeitos, quando os sistemas que elas afetam têm reações diferentes, e por que causas diferentes podem provocar os mesmos efeitos).

Assim, será formada uma consciência capaz de enfrentar complexidades.

A aprendizagem da vida será realizada por duas vias, a interna e a externa.

A via interna passa pelo exame de si, a auto-análise, a autocrítica. O auto-exame deve ser ensinado desde o primário e durante todo ele. Seriam mostrados, particularmente, os erros ou deformações que ocorrem nos testemunhos mais sinceros e convictos; seria estudada a maneira com que a mente oculta os fatos que contrariam sua visão das coisas: mostrar-se-ia como as coisas dependem menos de informações do que da forma em que está estruturado o modo de pensar.

A via externa seria a introdução ao conhecimento das mídias. Como as crianças são imersas, desde muito cedo, na cultura de mídia, televisão, *videogames*, anúncios publicitários etc.; o papel do

[1] As coisas não são coisas, dizia Robert Pagès.

[2] ... e aprender o que nos ensina a noção de sistema (cf. Edgar Morin, *La Méthode*, t. 1, *op. cit.*, pp. 94-151).

professor, em vez de denunciar, é tornar conhecidos os modos de produção dessa cultura. Seria preciso mostrar como o tratamento dado às imagens filmadas ou televisionadas, notadamente pela montagem, pode, arbitrariamente, dar a impressão de realidade (uma sucessão de planos, por exemplo, em que vemos correr, separadamente, o predador e sua presa, dá a impressão de que vemos, simultaneamente, o percurso do perseguidor e do perseguido). O mestre poderia situar e comentar os programas assistidos e os jogos praticados pelos alunos fora da classe.

Naturalmente, o ensino da língua, da ortografia, da História, do cálculo seria integralmente mantido ao longo do primeiro grau.

Secundário

O ensino secundário seria o momento da aprendizagem do que deve ser a verdadeira cultura — a que estabelece o diálogo entre cultura das humanidades e cultura científica —, não apenas levando a uma reflexão sobre as conquistas e o futuro das ciências, mas também considerando a Literatura como escola e experiência de vida. A História deveria desempenhar um papel chave na escola secundária, permitindo ao aluno internalizar a história de sua nação, situar-se no futuro histórico da Europa e, mais amplamente, da humanidade, desenvolvendo, em si mesmo, um modo de conhecimento que apreenda as características multidimensionais ou complexas das realidades humanas.

Os programas deveriam ser substituídos por guias de orientação que permitissem aos professores situar as disciplinas em seus novos contextos: o Universo, a Terra, a vida, o humano. As reciclagens que permitissem essas integrações poderiam ser efetuadas no quadro dos cursos de mestrado renovados, ou durante os períodos de formação em uma escola superior *ad hoc*.

A partir daí, sob o estímulo de um professor de Filosofia ou de um professor polivalente, os ensinamentos científicos poderiam convergir para o reconhecimento da condição humana, no meio do mundo físico e biológico.

Deveria ser instituído um ensino recomposto de ciências humanas, centralizado no destino individual, no destino social, no destino econômico, no destino histórico, no destino imaginário e mitológico do ser humano, e orientado nesse sentido, conforme as disciplinas.

Como assinalamos, o ensino das humanidades não deve ser sacrificado, mas otimizado. (Uma das principais missões do professor secundário é salvaguardar a cultura das humanidades.) Os capítulos 3 e 4 demonstram como as humanidades introduzem, ao mesmo tempo, à condição humana e ao aprender a viver.

A Filosofia deveria ter, como um de seus pontos capitais, a reflexão sobre o conhecimento científico e não científico, e sobre o papel da tecnociência, maximizado em nossas sociedades.

Durante todo o curso secundário, as matemáticas serão ensinadas como forma de pensamento lógico que efetua operações calculáveis. Um ensino filosófico na última série e para todas as opções introduzirá a problemática da racionalidade e a oposição entre racionalidade e racionalização.

Por exemplo, para os franceses o ensino da história nacional, concebida como uma história do afrancesamento, imersa na história da Europa, que criou a história da era planetária e nela se acha integrada desde então, será de extrema importância para a formação cidadã.

Além disso, os professores do secundário têm por dever educar-se sobre o mundo e a cultura dos adolescentes. Sempre houve, de fato, sob a "colaboração de classe", uma "luta de classe" entre professores, que dispõem do poder, e o grosso dos alunos, que criam seu *underground* clandestino, realizando pequenas transgressões (copiar, colar etc.). Seria preciso compreender como a luta de classe se agravou nas trágicas condições dos subúrbios.

Seria preciso instruir-se sobre a autonomia conquistada pelo mundo adolescente em relação à cultura familiar e à cultura escolar, a partir dos anos 1960-70, e sobre as formas comunitárias e as regras específicas dos grupos adolescentes, que, onde há desintegração do tecido social ou familiar (periferia), chegam até a formação de clãs, que constituem verdadeiras microssociedades, com seus territórios sacramentados, suas leis de vingança, seus códigos de honra.

Trata-se, em suma, de promover o conhecimento e o reconhecimento mútuos de dois universos, sobrepostos um ao outro, que, no entanto, não se conhecem.

Enfim, o círculo da docência não deveria fechar-se, como uma cidadela sitiada, sob o bombardeio da cultura de mídia, exterior à escola, ignorada e desdenhada pelo mundo intelectual. O conhecimento dessa cultura é necessário não só para compreender os processos multiformes de industrialização e supercomercialização culturais, mas também o quanto das aspirações e obsessões próprias a nosso "espírito da época" é traduzido e traído pela temática das mídias[3]. A esse propósito, em vez de ignorar as séries de televisão — enquanto os alunos se instruem por elas —, os professores mostrariam que, por meio de convenções e visões estereotipadas, elas falam, como a tragédia e o romance, das aspirações, temores e obsessões de nossas vidas: amores, ódios, incompreensões, mal-entendidos, encontros, separações, felicidade, infelicidade, doença, morte, esperança, desespero, poder, traição, ambição, engodo, dinheiro, fugas, drogas.

[3] *L'Esprit du temps*: título do livro que dediquei a essa cultura (Grasset, e Livre de Poche, "Biblio Essais", 1983).

Universidade

A Universidade conserva, memoriza, integra, ritualiza uma herança cultural de saberes, idéias, valores; regenera essa herança ao reexaminá-la, atualizá-la, transmiti-la; gera saberes, idéias e valores que passam, então, a fazer parte da herança. Assim, ela é conservadora, regeneradora, geradora.

A esse título, a Universidade tem uma missão e uma função transeculares, que vão do passado ao futuro, passando pelo presente; conservou uma missão transnacional, apesar da tendência ao fechamento nacionalista das nações modernas. Dispõe de uma autonomia que lhe permite executar essa missão.

Segundo os dois sentidos do termo "conservação", o caráter conservador da Universidade pode ser vital ou estéril. A conservação é vital quando significa salvaguarda e preservação, pois só se pode preparar um futuro salvando um passado, e estamos em um século onde múltiplas e poderosas forças de desintegração cultural estão em atividade. Mas a conservação é estéril quando é dogmática, cristalizada, rígida. Assim, a Sorbonne do século XVII condenou todos os avanços científicos de sua época, e, até o século seguinte, grande parte da ciência moderna foi formada fora das universidades.

No século XIX, a Universidade soube responder ao desafio do desenvolvimento das ciências, ao realizar sua grande transformação, a partir da reforma que Humboldt introduziu em Berlim, em 1809. Tornou-se laica, quando instituiu sua liberdade interna frente à religião e ao poder; abriu-se à grande problematização, surgida com o Renascimento, que interroga o mundo, a natureza, a vida, o homem, Deus. A Universidade tornou-se, de fato, o espaço da problematização característica da cultura européia moderna; está mais profundamente inserida em sua missão transecular e transnacional, e aberta às culturas extra-européias.

A reforma criou departamentos onde introduziu as ciências modernas. A partir daí, a Universidade faz com que coexistam —

mas não com que se comuniquem — as duas culturas: a das humanidades e a cultura científica.

Ao criar os departamentos, Humboldt percebera bem o caráter transecular da integração das ciências na Universidade. Para ele, a formação profissional (conveniente às escolas técnicas) não deveria ser tomada como a vocação direta da Universidade, mas apenas como vocação indireta, pela formação de uma postura de pesquisa.

Daí a paradoxal dupla função da Universidade: adaptar-se à modernidade científica e integrá-la; responder às necessidades fundamentais de formação, mas também, e sobretudo, fornecer um ensino metaprofissional, metatécnico, isto é, uma cultura.

A Universidade deve adaptar-se à sociedade ou a sociedade é que deve adaptar-se à Universidade? Há complementaridade e antagonismo entre as duas missões: adaptar-se à sociedade e adaptar a sociedade à Universidade; uma remete à outra em um círculo que deve ser produtivo. Não se trata apenas de modernizar a cultura: trata-se também de "culturalizar" a modernidade.

Aqui, reencontramos a missão transecular, em que a Universidade convoca a sociedade a adotar sua mensagem e suas normas: ela inocula na sociedade uma cultura que não foi feita para as formas provisórias ou efêmeras do *hic et nunc*, mas para ajudar os cidadãos a viverem seu destino *hic et nunc*; ela defende, ilustra e promove, no mundo social e político, valores intrínsecos à cultura universitária — a autonomia da consciência, a problematização (com a conseqüência de que a pesquisa deve ser sempre aberta e plural), o primado da verdade sobre a utilidade, a ética do conhecimento; donde essa vocação expressa pela dedicatória no frontispício da Universidade de Heidelberg: "À mente viva."

A Universidade deve, ao mesmo tempo, adaptar-se às necessidades da sociedade contemporânea e realizar sua missão transecular de conservação, transmissão e enriquecimento de um patrimônio cultural, sem o que não passaríamos de máquinas de produção e consumo.

***

Ora, como apontamos no capítulo 1, o século XX lançou vários desafios a essa dupla missão.

Antes de tudo, existe uma pressão superadaptativa, que leva a adequar o ensino e a pesquisa às demandas econômicas, técnicas e administrativas do momento; a conformar-se aos últimos métodos, às últimas estimativas do mercado, a reduzir o ensino geral, a marginalizar a cultura humanista. Ora, na vida como na história, a superadaptação a condições dadas nunca foi um indício de vitalidade, mas prenúncio de senilidade e morte pela perda da substância inventiva e criadora.

Há, ao mesmo tempo, a disjunção radical dos saberes entre disciplinas e a enorme dificuldade em se estabelecer um ponto institucional entre essas disciplinas (cf. capítulo 1, pp. 14-16).

Há, da mesma maneira, a disjunção entre cultura humanista e cultura científica, a qual comporta a compartimentação entre as ciências e as disciplinas. A falta de comunicação entre as duas culturas provoca graves conseqüências para uma e outra (cf. capítulo 1, p. 17).

A reforma da Universidade não poderia contentar-se com uma democratização do ensino universitário e com a generalização do *status* de estudante. *Falo de uma reforma que leve em conta nossa aptidão para organizar o conhecimento — ou seja, pensar.*

A reforma de pensamento exige a reforma da Universidade.

Essa reforma incluiria uma reorganização geral para a instauração de faculdades, departamentos ou institutos destinados às ciências que já realizaram uma união multidisciplinar em torno de um núcleo organizador sistêmico (Ecologia, ciências da Terra, Cosmologia). A Ecologia científica, as ciências da Terra, a Cosmologia, insistimos, são efetivamente ciências que têm por objeto não uma área ou um setor, mas um sistema complexo: o ecossistema e, mais amplamente, a biosfera, para a Ecologia; o sistema Terra, para as ciências da Terra; e a estranha propensão do Universo a formar e destruir sistemas galáxicos e solares, para a Cosmologia. Assim, seria possível conceber uma Faculdade do Cosmo (que compreenda uma seção filosófica) e uma Faculdade da Terra (ciências da Terra, Ecologia, Geografias Física e Humana).

A reforma instituiria uma Faculdade do conhecimento e ciências cognitivas, ainda que, nesse último domínio, a união ocorra mais como superposição e polêmica do que como centralização no problema reflexivo do conhecimento do conhecimento.

Embora as ciências biológicas estejam divididas entre uma unificação redutora na Biologia Molecular e uma compartimentação sem unidade, seria preciso instituir uma Faculdade da vida.

Sem esperar pelas inevitáveis recomposições futuras, seria importante criar uma Faculdade do humano (reagrupando a Pré-história, a Antropologia Biológica, a Antropologia Cultural, as ciências humanas, sociais e econômicas, e integrando a problemática indivíduo/espécie/sociedade).

A História deveria ter uma Faculdade plena e completa, onde seriam ensinadas não só a história nacional e mundial, mas também a das grandes civilizações da Ásia, África e das Américas.

Podemos imaginar uma Faculdade dos problemas globalizados.

Enfim, a preservação das Faculdades de Letras seria acompanhada de uma revitalização de seu ensino, conforme sugerido anteriormente (capítulos 3 e 4), e de uma abertura às artes, bem como ao cinema.

Tais disposições assegurariam por si sós a possibilidade de diplomas e teses multi ou transdisciplinares.

A fim de instaurar e ramificar um modo de pensar que permita a reforma, seria o caso de se instituir, em todas as Universidades e Faculdades, *um dízimo epistemológico ou transdisciplinar*[4], que retiraria 10% da duração dos cursos para um ensino comum, orientado

4 Segundo uma sugestão do Congresso Internacional de Locarno, organizado pelo CIRET e pela UNESCO (30 de abril-2 de maio de 1997): "Qual a universidade do amanhã?"

para os pressupostos dos diferentes saberes e para as possibilidades de torná-los comunicantes. Assim, o dízimo poderia ser destinado:

— ao conhecimento dos determinantes e pressupostos do conhecimento;

— à racionalidade, à cientificidade, à objetividade;

— à interpretação;

— à argumentação;

— ao pensamento matemático;

— à relação entre o mundo humano, o mundo vivo, o mundo físico-químico, o próprio cosmo;

— à interdependência e às comunicações entre as ciências (o circuito das ciências, que, segundo Piaget, faz com que dependam umas das outras);

— aos problemas da complexidade nos diferentes tipos de conhecimento;

— à cultura das humanidades e à cultura científica;

— à literatura e às ciências humanas;

— à ciência, à ética, à política;

— etc.

Ele elaboraria os dispositivos que iriam permitir as comunicações entre as ciências antropossociais e as ciências da natureza.

Poderíamos também imaginar a instituição, em cada Universidade, de um centro de pesquisas sobre os problemas de complexidade e de transdisciplinaridade, bem como oficinas destinadas às problemáticas complexas e transdisciplinares.

Capítulo 8

A REFORMA DE PENSAMENTO

"O Iluminismo depende da educação, e a educação depende do Iluminismo."

Kant

"Sei tudo, mas não compreendo nada."

René Daumal

RECORDEMOS o segundo e o terceiro princípios do *Discurso sobre o Método*[1]:

— "Divisar cada uma das dificuldades, que examinarei em tantas parcelas quanto seja possível e requerido para melhor resolvê-las..."

— "Conduzir meus pensamentos por ordem, começando pelos assuntos mais simples e mais fáceis de conhecer, para atingir, pouco a pouco, como que degrau por degrau, o conhecimento dos assuntos mais complexos..."

No segundo princípio encontra-se, potencialmente, o princípio de separação, e no terceiro, o princípio de redução; esses princípios vão reger a consciência científica.

O princípio de redução comporta duas ramificações. A primeira é a da redução do conhecimento do todo ao conhecimento adicio-

---

1 "O primeiro é nunca aceitar coisa alguma como verdadeira, se não a souber comprovadamente como tal; isto é, evitar cuidadosamente a precipitação e a prevenção... O último é fazer, em tudo, um levantamento tão completo e um exame tão amplo, que eu esteja certo de não ter omitido nada."

nal de seus elementos. Hoje em dia, admite-se cada vez mais que, como indica a já citada frase de Pascal, o conhecimento das partes depende do conhecimento do todo, como o conhecimento do todo depende do conhecimento das partes. Por isso, em várias frentes do conhecimento, nasce uma concepção sistêmica, onde o todo não é redutível às partes.

A segunda ramificação do princípio de redução tende a limitar o conhecimento ao que é mensurável, quantificável, formulável, segundo o axioma de Galileu: os fenômenos só devem ser descritos com a ajuda de quantidades mensuráveis. Desde então, a redução ao quantificável condena todo conceito que não seja traduzido por uma medida. Ora, nem o ser, nem a existência, nem o sujeito podem ser expressos matematicamente ou por meio de fórmulas. O que Heidegger chama de "a essência devoradora do cálculo" pulveriza os seres, as qualidades e as complexidades, e, ao mesmo tempo, leva à "quantofrenia" (Sorokin) e à "aritmomania"(Georgescu-Roegen). Esse princípio ainda se impõe na tecnociência; mas torna-se questionado, em profundidade, na medida em que a própria tecnociência é questionada em profundidade.

Hoje, esses princípios revelaram suas limitações, e é preciso recorrer ao princípio de Pascal, que citamos uma vez mais: "Como todas as coisas são causadas e causadoras, ajudadas e ajudantes, mediatas e imediatas, e todas são sustentadas por um elo natural e imperceptível, que liga as mais distantes e as mais diferentes, considero impossível conhecer as partes sem conhecer o todo, tanto quanto conhecer o todo sem conhecer, particularmente, as partes."

Há, efetivamente, necessidade de um pensamento:

— que compreenda que o conhecimento das partes depende do conhecimento do todo e que o conhecimento do todo depende do conhecimento das partes;

— que reconheça e examine os fenômenos multidimensionais, em vez de isolar, de maneira mutiladora, cada uma de suas dimensões;

— que reconheça e trate as realidades, que são, concomitantemente solidárias e conflituosas (como a própria democracia, sistema que se alimenta de antagonismos e ao mesmo tempo os regula);

— que respeite a diferença, enquanto reconhece a unicidade.

É preciso substituir um pensamento que isola e separa por um pensamento que distingue e une. É preciso substituir um pensamento disjuntivo e redutor por um pensamento do complexo, no sentido originário do termo *complexus*: o que é tecido junto.

De fato, a reforma do pensamento não partiria de zero. Tem seus antecedentes na cultura das humanidades, na literatura e na filosofia, e é preparada nas ciências.

Ciências

As duas revoluções científicas do século preparam a reforma do pensamento.

A primeira começou com a física quântica e, como já mencionamos, desencadeia o colapso do Universo de Laplace; a queda do dogma determinista; o esboroamento de toda idéia de que haveria uma unidade simples na base do universo; e a introdução da incerteza no conhecimento científico. Suscitou, notadamente em Bachelard e Popper, tomadas epistemológicas de consciência em relação aos pressupostos do saber científico.

A segunda revolução, realizada com a constituição de grandes ligações científicas, faz com que se levem em consideração os conjuntos organizados, ou sistemas, em detrimento do dogma reducionista que imperara durante o século XIX. Como vimos no capítulo 2, há uma ressurreição das entidades globais, como o cosmo, a natureza, o homem, que foram picadas como salsichas, finalmente desintegradas, supostamente porque provêm do senso primitivo pré-científico, na verdade porque contêm, no âmago, uma complexidade insuportável para o pensamento disjuntivo/redutor.

Ainda que nem todas as conseqüências dessas duas revoluções sejam aparentes e que a segunda continue incompleta em vários domínios (ciências da vida, ciências humanas e sociais), a complexidade invadiu o mundo pelas mesmas vias que a baniram dele. A maior parte das ciências descobre diversos campos em que os enunciados simples estão errados e "onde o preconceito a favor das leis torna-se prejudicial"[2]. Além disso, já foram formados princípios de inteligibilidade do complexo, e, a partir da cibernética, da teoria da informação, foi elaborada uma concepção de auto-organização capaz de conceber a autonomia, o que era impossível, segundo a ciência clássica. A racionalidade e a cientificidade começaram a ser redefinidas e complexificadas a partir dos trabalhos de Bachelard, Popper, Kuhn, Holton, Lakatos, Feyerabend. Também é de se esperar o avanço pacífico de uma reforma de pensamento.

Alguns elos começaram a se formar entre as duas culturas. Alguns pensadores científicos ocuparam o lugar deixado vago por uma filosofia enrodilhada sobre si mesma, que já não reflete sobre os conhecimentos transmitidos pelas ciências. Esses pensadores forneceram à cultura geral reflexões originadas de seus saberes. Assim, Jacques Monod, François Jacob, Ilya Prigogine, Henri Atlan, Hubert Reeves, Michel Cassé, Bernard d'Espagnat, Basarab Nicolescu, Jean-Marc Lévy-Leblond e tantos outros restabeleceram as relações entre as duas culturas desunidas, o que suscitará uma nova cultura geral, mais rica que a antiga e capaz de analisar os problemas fundamentais da humanidade contemporânea.

2 F. Hayek, "The Theory of Complex Phenomena", in *Studies in Philosophy, Politics and Economics*, Routledge and Kegan, Londres, 1967.

Literatura e filosofia

No século XIX, enquanto o individual, o singular, o concreto e o histórico eram ignorados pela ciência, a literatura e, particularmente, o romance — de Balzac a Dostoievski e a Proust — restituíram e revelaram a complexidade humana. As ciências realizavam o que acreditavam ser sua missão: dissolver a complexidade das aparências para revelar a simplicidade oculta da realidade; de fato, a literatura assumia por missão revelar a complexidade humana que se esconde sob as aparências de simplicidade. Revelava os indivíduos, sujeitos de desejos, paixões, sonhos, delírios; envolvidos em relacionamentos de amor, de rivalidade, de ódio; inseridos em seu meio social ou profissional; submetidos a acontecimentos e acasos, vivendo seu destino incerto.

Todas as obras-primas da literatura foram obras-primas de complexidade: a revelação da condição humana na singularidade do indivíduo (Montaigne), a contaminação do real pelo imaginário (o *Dom Quixote*, de Cervantes), o jogo das paixões humanas (Shakespeare).

Melhor ainda: a literatura revela o valor cognitivo da metáfora, que o espírito científico rejeita com desprezo. Como dizem Knyazeva e Kurdymov: "A metáfora é um indicador e uma não-linearidade local no texto ou no pensamento, é um indicador de abertura do texto ou do pensamento a diversas interpretações ou reinterpretações, para encontrar ressonância com as idéias pessoais de um leitor ou de um interlocutor."[3]

Uma metáfora revela a visão ou a percepção que se tornaram clichês. É nesse sentido que um poeta diz: "A realidade é um clichê do qual escapamos pela metáfora." A metáfora literária estabelece uma comunicação analógica entre realidades muito distantes e diferentes,

[3] E. N. Knyazeva e S. P. Kurdymov, *Synergetics at the Crossroads of the Eastern and the Western Cultures* (1994), Keldish Institute of Applied Mathematics, da Academia de Ciências da Rússia.

que permite dar intensidade afetiva à inteligibilidade que ela apresenta. Ao levantar ondas analógicas, a metáfora supera a descontinuidade e o isolamento das coisas. Fornece, freqüentemente, precisões que a língua puramente objetiva ou denotativa não pode fornecer. Assim, quando falamos da roupa, do corpo, do buquê, da perna de um vinho, compreendemos melhor sua qualidade do que por meio de referências físico-químicas.

Acrescentemos que, mesmo nas ciências, há fecundos transportes de noções de uma disciplina para outra (cf. anexo 1, p. 108). Antonio Machado dizia: "Uma idéia não tem mais valor que uma metáfora; em geral, tem menos." E Descartes, que não era essencialmente cartesiano, observava: "Poderia surpreender que os pensamentos profundos sejam encontrados nos escritos dos poetas, e não nos dos filósofos. O motivo é que os poetas se servem do entusiasmo e exploram a força da imagem." (Descartes, *Cogitationes privatae*)

Enfim, dizíamos que a complexidade não é um problema novo. O pensamento humano sempre enfrentou a complexidade e tentou, ou bem reduzi-la, ou bem traduzi-la. Os grandes pensadores sempre fizeram uma descoberta de complexidade. Até uma simples lei, como a da gravidade, permite ligar, sem reduzi-los, fenômenos diversos como a queda dos corpos, o fato de a Lua não cair na Terra, o movimento das marés. Toda grande filosofia é uma descoberta de complexidade; depois, ao formar um sistema em torno da complexidade que revelou, ela encerra outras complexidades.

A reforma em todos os níveis

A exigida reforma do pensamento vai gerar um pensamento do contexto e do complexo. Vai gerar um pensamento que liga e enfrenta a incerteza.

O pensamento que une substituirá a causalidade linear e unidirecional por uma causalidade em círculo e multirreferencial; corrigirá a rigidez da lógica clássica pelo diálogo capaz de conceber noções ao mesmo tempo complementares e antagonistas, e completará o conhecimento da integração das partes em um todo, pelo reconhecimento da integração do todo no interior das partes.

Ligará a explicação à compreensão, em todos os fenômenos humanos. Vamos repetir aqui a diferença entre explicação e compreensão. Explicar é considerar o objeto de conhecimento apenas como um objeto e aplicar-lhe todos os meios objetivos de elucidação. De modo que há um conhecimento explicativo que é objetivo, isto é, que considera os objetos dos quais é preciso determinar as formas, as qualidades, as quantidades, e cujo comportamento conhecemos pela causalidade mecânica e determinista. A explicação, claro, é necessária à compreensão intelectual ou objetiva. Mas é insuficiente para a compreensão humana.

Há um conhecimento que é compreensível e está fundado sobre a comunicação e a empatia — simpatia, mesmo — intersubjetivas.

Assim, compreendo as lágrimas, o sorriso, o riso, o medo, a cólera, ao ver o *ego alter* como *alter ego*, por minha capacidade de experimentar os mesmos sentimentos que ele. A partir daí, compreender comporta um processo de identificação e de projeção de sujeito a sujeito. Se vejo uma criança em prantos, vou compreendê-la não pela medição do grau de salinidade de suas lágrimas, mas por identificá-la comigo e identificar-me com ela. A compreensão, sempre intersubjetiva, necessita de abertura e generosidade.

Os sete princípios

Podemos adiantar sete diretivas para um pensamento que une; são princípios complementares e interdependentes.

1. *O princípio sistêmico ou organizacional*, que liga o conhecimento das partes ao conhecimento do todo, segundo o elo indicado por

Pascal: "Considero impossível conhecer as partes sem conhecer o todo, tanto quanto conhecer o todo sem conhecer, particularmente, as partes." A idéia sistêmica, oposta à idéia reducionista, é que "o todo é mais do que a soma das partes". Do átomo à estrela, da bactéria ao homem e à sociedade, a organização de um todo produz qualidades ou propriedades novas, em relação às partes consideradas isoladamente: *as emergências.* Assim também, a organização do ser vivo produz qualidades desconhecidas no que se refere a seus constituintes físico-químicos. Acrescentemos que o todo é, igualmente, menos que a soma das partes, cujas qualidades são inibidas pela organização do conjunto.

2. *O princípio "hologrâmico"*[4] põe em evidência este aparente paradoxo das organizações complexas, em que não apenas a parte está no todo, como o todo está inscrito na parte. Assim, cada célula é uma parte de um todo — o organismo global —, mas também o todo está na parte: a totalidade do patrimônio genético está presente em cada célula individual; a sociedade está presente em cada indivíduo, enquanto todo, através de sua linguagem, sua cultura, suas normas.

3. *O princípio do circuito retroativo*, introduzido por Norbert Wiener, permite o conhecimento dos processos auto-reguladores. Ele rompe com o princípio da causalidade linear: a causa age sobre o efeito, e o efeito age sobre a causa, como no sistema de aquecimento, em que o termostato regula o andamento do aquecedor. Esse mecanismo de regulação permite, aqui, a autonomia térmica de um apartamento em relação ao frio externo. De modo mais complexo, "a homoestasia" de um organismo vivo é um conjunto de processos reguladores baseados em múltiplas retroações. Em sua forma negativa, o círculo de retroação (ou *feedback*) permite reduzir o desvio e, assim, estabilizar um sistema. Em sua forma positiva, o *feedback* é um mecanismo amplificador; por exemplo: a violência de um protagonista provoca

[4] Inspirado no holograma, em que cada ponto contém a quase totalidade da informação do objeto que ele representa.

uma reação violenta, que, por sua vez, provoca uma reação mais violenta ainda. Inflacionárias ou estabilizadoras, são incontáveis as retroações nos fenômenos econômicos, sociais, políticos ou psicológicos.

4. *O princípio do circuito recursivo* ultrapassa a noção de regulação com as de autoprodução e auto-organização. É um circuito gerador em que os produtos e os efeitos são, eles mesmos, produtores e causadores daquilo que os produz. Assim, nós, indivíduos, somos os produtos de um sistema de reprodução que vem do início dos tempos, mas esse sistema não pode se reproduzir se nós mesmos não nos tornarmos produtores com o acasalamento. Os indivíduos humanos produzem a sociedade nas interações e pelas interações, mas a sociedade, à medida que emerge, produz a humanidade desses indivíduos, fornecendo-lhes a linguagem e a cultura.

5. *Princípio da autonomia/dependência (auto-organização)*: os seres vivos são seres auto-organizadores, que não param de se autoproduzir e, por isso mesmo, despendem energia para manter sua autonomia. Como têm necessidade de retirar energia, informação e organização de seu meio ambiente, sua autonomia é inseparável dessa dependência; é por isso que precisam ser concebidos como seres auto-ecoorganizadores. O princípio de auto-ecoorganização vale especificamente, é óbvio, para os humanos — que desenvolvem sua autonomia na dependência de sua cultura — e para as sociedades — que se desenvolvem na dependência de seu meio geológico.

Um aspecto chave da auto-ecoorganização viva é que ela se regenera permanentemente a partir da morte de suas células, segundo a fórmula de Heráclito, "viver de morte, morrer de vida"; e as idéias antagônicas de morte e vida são, ao mesmo tempo, complementares e antagônicas.

6. *O princípio dialógico* acaba justamente de ser ilustrado pela fórmula de Heráclito. Ele une dois princípios ou noções que deviam

excluir-se reciprocamente, mas são indissociáveis em uma mesma realidade.

Deve-se conceber uma dialógica ordem/desordem/organização, desde o nascimento do Universo: a partir de uma agitação calorífica (desordem), onde, em certas condições (encontros aleatórios), princípios de ordem vão permitir a constituição de núcleos, átomos, galáxias e estrelas. Sob as mais diversas formas, a dialógica entre a ordem, a desordem e a organização *via* inúmeras interretroações, está constantemente em ação nos mundos físico, biológico e humano.

A dialógica permite assumir racionalmente a inseparabilidade de noções contraditórias para conceber um mesmo fenômeno complexo. Niels Bohr, por exemplo, reconheceu a necessidade de conceber partículas físicas como corpúsculos e como ondas, ao mesmo tempo. De um certo ponto de vista, os indivíduos, na medida em que desaparecem, são como corpúsculos autônomos; de um outro ponto de vista — dentro das duas continuidades que são a espécie e a sociedade —, o indivíduo desaparece quando se consideram a espécie e a sociedade; e a espécie e a sociedade desaparecem quando se considera o indivíduo. O pensamento deve assumir dialogicamente os dois termos, que tendem a se excluir um ao outro.

7. *O princípio da reintrodução do conhecimento em todo conhecimento.* Esse princípio opera a restauração do sujeito e revela o problema cognitivo central: da percepção à teoria científica, todo conhecimento é uma reconstrução/tradução feita por uma mente/cérebro, em uma cultura e época determinadas.

Repetimos: a reforma do pensamento é de natureza não programática, mas paradigmática, porque concerne à nossa aptidão para organizar o conhecimento. É ela que permitiria a adequação à finalidade da cabeça bem-feita; isto é, permitiria o pleno uso da inteligência. Precisamos compreender que nossa lucidez depende da complexidade do modo de organização de nossas idéias.

A reforma do pensamento integraria, nas duas culturas, as idéias capitais nascidas à margem de uma e de outra: no mundo dos matemáticos-engenheiros-pensadores, a partir de Wiener, von Neumann, von Foerster[5]. Desse modo, ela poria em comunicação essas duas culturas que acabariam por constituir os dois pólos da cultura. *Novas humanidades* emergiriam, assim, do intercâmbio entre dois pólos culturais. Essas humanidades revitalizariam a problematização, o que permitiria a plena emergência dos problemas globais e fundamentais. E, assim, cada futuro cidadão, para chegar à especialização, terá de passar, então, pela cultura.

O humanismo seria regenerado. Lembremos que o humanismo europeu atual não tem, como únicas fontes, a herança ateniense (a soberania dos cidadãos sobre sua cidade) e a herança judaico-cristã (o homem à imagem de Deus, Deus que adquire a carne e a forma humanas). Recebeu a contribuição de quatro descobertas oriundas das ciências, que situam o ser humano no mundo destruindo qualquer antropocentrismo. É Copérnico quem retira do homem o privilégio de ser o centro do Universo. É Darwin quem o torna descendente do antropóide, e não criatura à imagem de seu Criador. É Freud quem dessacraliza o espírito humano, e, finalmente, é Hubble quem nos exila nas periferias mais afastadas do cosmo. O humanismo já não poderia ser o portador da orgulhosa vontade de dominar o Universo. Torna-se, essencialmente, o da solidariedade entre humanos, a qual envolve uma relação umbilical com a natureza e o cosmo.

Isso indica que um modo de pensar, capaz de unir e solidarizar conhecimentos separados, é capaz de se desdobrar em uma ética da união e da solidariedade entre humanos. Um pensamento capaz de não se fechar no local e no particular, mas de conceber os conjuntos, estaria apto a favorecer o senso da responsabilidade e o da cidadania. A reforma de pensamento teria, pois, conseqüências existenciais, éticas e cívicas.

[5] Cf. anexo 1, pp. 111 e 112.

CAPÍTULO 9

PARA ALÉM DAS CONTRADIÇÕES

ATUALMENTE, os problemas da educação tendem a ser reduzidos a termos quantitativos: "mais créditos", "mais ensinamentos", "menos rigidez", "menos matérias programadas", "menos carga horária". Tudo isso, claro, é necessário. É preciso haver mais créditos, mais ensinamentos. É preciso respeitar o *optimum* demográfico da classe para que o professor possa conhecer cada aluno individualmente e ajudá-lo em sua singularidade. É preciso haver reformas de flexibilidade, de diminuição da carga horária, de organização, mas essas modificações sozinhas não passam de reformazinhas que camuflam ainda mais a necessidade da reforma de pensamento.

De fato, os atuais projetos de reforma giram em torno desse buraco negro que lhes é invisível. Só seria visível se as mentes fossem reformadas. E aqui chegamos a um impasse: *não se pode reformar a instituição sem uma prévia reforma das mentes, mas não se podem reformar as mentes sem uma prévia reforma das instituições.* Essa é uma impossibilidade lógica que produz um duplo bloqueio.

Há resistências inacreditáveis a essa reforma, a um tempo, una e dupla. A imensa máquina da educação é rígida, inflexível, fechada, burocratizada. Muitos professores estão instalados em seus hábitos e autonomias disciplinares. Estes, como dizia Curien, são como os lobos que urinam para marcar seu território e mordem os que nele penetram. Há uma resistência obtusa, inclusive entre os espíritos refinados. Para eles, o desafio é invisível.

A cada tentativa de reforma, mínima que seja, a resistência aumenta. Como dizia Edgar Faure, depois de ter experimentado uma de suas reformazinhas, "o imobilismo se pôs em marcha, e não sei como detê-lo". Quanto a mim, fui alvo dos sarcasmos dos Diafoirus e Trissotin (cujo número cresceu consideravelmente desde Molière), quando sugeri as "cinco finalidades".

Como as mentes, em sua maioria, são formadas segundo o modelo da especialização fechada, a possibilidade de um conhecimento para além de uma especialização parece-lhes insensata. E, no entanto, o mais limitado especialista tem idéias gerais, das quais não tem dúvidas, sobre a vida, o mundo, Deus, a sociedade, os homens, as mulheres. E, de fato, esses especialistas, *experts*, vivem de idéias gerais e globais, mas arbitrárias, nunca criticadas, nunca refletidas. *O reino dos especialistas é o reino das mais ocas idéias gerais, sendo que a mais oca de todas é a de que não há necessidade de idéia geral.*

O bloqueio levantado pela necessidade de reformar as mentes para reformar as instituições é acrescido de um bloqueio mais amplo, que diz respeito à relação entre a sociedade e a escola. Uma relação que não é tanto de reflexo, mas de holograma e de recorrência. Holograma: assim como um ponto único de um holograma contém em si a totalidade da figura representada, também a escola, em sua singularidade, contém em si a presença da sociedade como um todo. Recorrência: a sociedade produz a escola, que produz a sociedade.

Diante disso, como reformar a escola sem reformar a sociedade, mas como reformar a sociedade sem reformar a escola?

Há a impossibilidade lógica de superar essas duas contradições que acabamos de enunciar; mas este é o tipo de impossibilidade que a vida sempre desdenhou.

Quanto à relação escola-sociedade, já nos referimos a ela no capítulo 7. Como existe um circuito entre a escola e a sociedade —

uma produz a outra —, qualquer intervenção que modifique um de seus termos tende a provocar uma modificação na outra.

É preciso saber começar, e o começo só pode ser desviante e marginal. A Universidade moderna, que rompeu com a Universidade medieval, nasceu no início do século XIX, em Berlim, capital de uma pequena nação periférica, a Prússia. Difundiu-se, depois, pela Europa e pelo mundo. Agora, é ela que precisa ser reformada. E a reforma também começará de maneira periférica e marginal. Como sempre, a iniciativa só pode partir de uma minoria, a princípio incompreendida, às vezes perseguida. Depois, a idéia é disseminada e, quando se difunde, torna-se uma força atuante.

A missão

É nesse sentido que podemos responder à questão colocada por Karl Marx, em uma de suas teses sobre Feuerbach: "Quem educará os educadores?" Será uma minoria de educadores, animados pela fé na necessidade de reformar o pensamento e de regenerar o ensino. São os educadores que já têm, no íntimo, o sentido de sua missão.

Freud dizia que há três funções impossíveis por definição: educar, governar, psicanalisar. É que são mais que funções ou profissões. O caráter funcional do ensino leva a reduzir o professor ao funcionário. O caráter profissional do ensino leva a reduzir o professor ao especialista. O ensino deve voltar a ser não apenas uma função, uma especialização, um profissão, mas também uma tarefa de saúde pública: uma missão.

Uma missão de transmissão.

A transmissão exige, evidentemente, competência, mas também requer, além de uma técnica, uma arte.

Exige algo que não é mencionado em nenhum manual, mas que Platão já havia acusado como condição indispensável a todo ensino: o *eros*, que é, a um só tempo, desejo, prazer e amor; desejo e prazer de transmitir, amor pelo conhecimento e amor pelos alunos. O *eros* permite dominar a fruição ligada ao poder, em benefício da fruição ligada à doação. É isso que, antes de tudo mais, pode despertar o desejo, o prazer e o amor no aluno e no estudante.

Onde não há amor, só há problemas de carreira e de dinheiro para o professor; e de tédio, para os alunos.

A missão supõe, evidentemente, a fé: fé na cultura e fé nas possibilidades do espírito humano.

Portanto, é missão muito elevada e difícil, uma vez que supõe, ao mesmo tempo, arte, fé e amor.

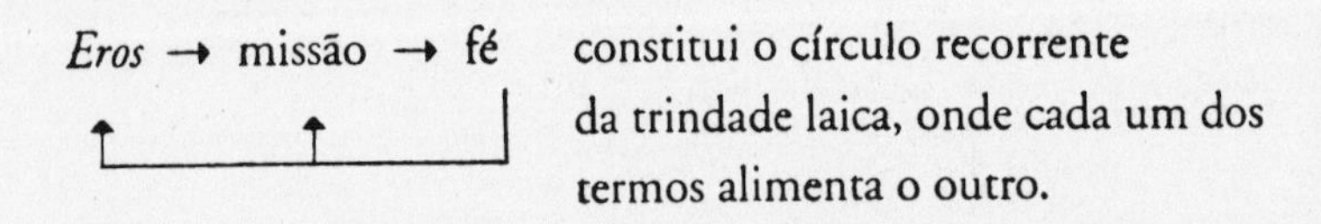

constitui o círculo recorrente da trindade laica, onde cada um dos termos alimenta o outro.

Recapitulemos os pontos essenciais da missão de ensinar:

— fornecer uma cultura que permita distinguir, contextualizar, globalizar os problemas multidimensionais, globais e fundamentais, e dedicar-se a eles;

— preparar as mentes para responder aos desafios que a crescente complexidade dos problemas impõe ao conhecimento humano;

— preparar as mentes para enfrentar as incertezas que não param de aumentar, levando-as não somente a descobrirem a história incerta e aleatória do Universo, da vida, da humanidade, mas também promovendo nelas a inteligência estratégica e a aposta em um mundo melhor.

— educar para a compreensão humana entre os próximos e os distantes;

— no caso dos franceses, ensinar a filiação à França, à sua história, à sua cultura, à cidadania republicana, e introduzir a filiação à Europa;

— ensinar a cidadania terrena, ensinando a humanidade em sua unidade antropológica e suas diversidades individuais e culturais, bem como em sua comunidade de destino, própria à era planetária, em que todos os animais enfrentam os mesmos problemas vitais e mortais.

Reencontrar as missões

As cinco finalidades educativas estão ligadas entre si e devem alimentar umas às outras (a cabeça bem-feita, que nos dá aptidão para organizar o conhecimento, o ensino da condição humana, a aprendizagem do viver, a aprendizagem da incerteza, a educação cidadã). Devem despertar, igualmente, a ressurreição da cultura pela conexão entre as duas culturas e, como veremos agora, contribuir para a regeneração da laicidade e o nascimento de uma democracia cognitiva.

Na França, a reforma assim concebida, necessariamente inseparável de uma regeneração cultural, seria, ela mesma, inseparável de uma regeneração da laicidade francesa. Na origem da laicidade, fruto do Renascimento, está a problematização que interroga o mundo, a natureza, a vida, o homem, Deus; e que dá vida à cultura européia moderna. A laicidade do início do século chegou a acreditar que a ciência, a razão, o progresso trariam soluções a todas essas questões. Hoje, já não basta problematizar o homem, a natureza, o mundo, Deus; é preciso problematizar o progresso, a ciência, a técnica, a razão. A nova laicidade deve problematizar a ciência revelando suas profundas ambivalências. Deve problematizar a razão, opondo a racionalidade aberta à racionalização fechada; deve problematizar o progresso, que depende não de uma necessidade histórica, mas de uma vontade consciente dos humanos. A laicidade, assim regenerada, talvez criasse as condições para um novo Renascimento.

A reforma de pensamento é uma necessidade democrática fundamental: formar cidadãos capazes de enfrentar os problemas de sua época é frear o enfraquecimento democrático que suscita, em todas as áreas da política, a expansão da autoridade dos *experts*, especialistas de toda ordem, que restringe progressivamente a competência dos cidadãos. Estes são condenados à aceitação ignorante das decisões daqueles que se presumem sabedores, mas cuja inteligência é míope, porque fracionária e abstrata. O desenvolvimento de uma democracia cognitiva só é possível com uma reorganização do saber; e esta pede uma reforma do pensamento que permita não apenas isolar para conhecer, mas também ligar o que está isolado, e nela renasceriam, de uma nova maneira, as noções pulverizadas pelo esmagamento disciplinar: o ser humano, a natureza, o cosmo, a realidade.

A reforma de pensamento é uma necessidade histórica fundamental. Hoje somos vítimas de dois tipos de pensamento fechado: primeiro, o pensamento fracionário da tecnociência burocratizada, que corta, como fatias de salame, o complexo tecido do real; segundo, o pensamento cada vez mais fechado, voltado para a etnia ou a nação, que recorta, como um *puzzle*, o tecido da Terra-Pátria. Precisamos, pois, estar intelectualmente rearmados, começar a pensar a complexidade, enfrentar os desafios da agonia/nascimento de nosso entre-dois-milênios e tentar pensar os problemas da humanidade na era planetária.

Essa é uma reforma vital para os cidadãos do novo milênio, que permitiria o pleno uso de suas aptidões mentais e constituiria não, certamente, a única condição, mas uma condição *sine qua non* para sairmos de nossa barbárie.

ANEXO 1

Inter-poli-transdisciplinaridade[1]

A DISCIPLINA é uma categoria organizadora dentro do conhecimento científico; ela institui a divisão e a especialização do trabalho e responde à diversidade das áreas que as ciências abrangem. Embora inserida em um conjunto mais amplo, uma disciplina tende naturalmente à autonomia pela delimitação das fronteiras, da linguagem em que ela se constitui, das técnicas que é levada a elaborar e a utilizar e, eventualmente, pelas teorias que lhe são próprias. A organização disciplinar foi instituída no século XIX, notadamente com a formação das universidades modernas; desenvolveu-se depois, no século XX, com o impulso dado à pesquisa científica; isto significa que as disciplinas têm uma história: nascimento, institucionalização, evolução, esgotamento etc.; essa história está inscrita na da Universidade, que, por sua vez, está inscrita na história da sociedade; daí resulta que as disciplinas nascem da sociologia das ciências e da sociologia do conhecimento. Portanto, a disciplina nasce não apenas de um conhecimento e de uma reflexão interna sobre si mesma, mas também de um conhecimento externo. Não basta, pois, estar por dentro de uma disciplina para conhecer todos os problemas aferentes a ela.

Virtude da especialização e risco de hiperespecialização

A fecundidade da disciplina na história da ciência já foi demonstrada; por um lado, ela realiza a circunscrição de uma área de com-

[1] Uma primeira versão deste texto foi publicada em *Carrefour des sciences*, Actes du colloque du CNRS "Interdisciplinarité", CNRS, Paris, 1990.

petência, sem a qual o conhecimento tornar-se-ia intangível; por outro, ela revela, destaca ou constrói um objeto não trivial para o estudo científico: é nesse sentido que Marcelin Berthelot dizia que a Química cria seu próprio objeto. Entretanto, a instituição disciplinar acarreta, ao mesmo tempo, um perigo de hiperespecialização do pesquisador e um risco de "coisificação" do objeto estudado, do qual se corre o risco de esquecer que é destacado ou construído. O objeto da disciplina será percebido, então, como uma coisa auto-suficiente; as ligações e solidariedades desse objeto com outros objetos estudados por outras disciplinas serão negligenciadas, assim como as ligações e solidariedades com o universo do qual ele faz parte. A fronteira disciplinar, sua linguagem e seus conceitos próprios vão isolar a disciplina em relação às outras e em relação aos problemas que se sobrepõem às disciplinas. A mentalidade hiperdisciplinar vai tornar-se uma mentalidade de proprietário que proíbe qualquer incursão estranha em sua parcela de saber. Sabemos que, originalmente, a palavra "disciplina" designava um pequeno chicote utilizado no autoflagelamento e permitia, portanto, a autocrítica; em seu sentido degradado, a disciplina torna-se um meio de flagelar aquele que se aventura no domínio das idéias que o especialista considera de sua propriedade.

O olhar extradisciplinar

A abertura, portanto, é necessária. Acontece que um olhar ingênuo de amador, alheio à disciplina, mesmo a qualquer disciplina, resolva um problema cuja solução era invisível dentro da disciplina. O olhar ingênuo — que não conhece, é óbvio, os obstáculos que a teoria existente levanta contra a elaboração de uma nova visão — pode, em geral erradamente, mas às vezes com acerto, permitir-se essa visão. Assim, Darwin, por exemplo, era um amador esclarecido; Lewis Mumford tirou partido de sua falta de formação universitária especializada e até de sua falta de educação biológica, salvo por sua paixão pelos animais e sua coleção de coleópteros. E Mumford conclui: "Devido a essa ausência de fixação e inibição escolares, nada impedia o alerta de Darwin a cada manifestação do ambiente vivo." Assim também, o meteorologista Wegener, ao olhar ingenuamente o mapa do Atlântico Sul, observou que o Oeste da África e o Brasil ajustavam-se um ao outro. Retirando similares de fauna e de flora, fósseis e atuais, de ambos os lados do oceano, ele elaborou, em 1912, a teoria do desvio dos continentes: por muito tempo refutada pelos especialistas, por ser "teoricamente impossível", *undenkbar,* foi admitida cinqüenta anos depois, principalmente com a descoberta da tectônica das placas. Marcel Proust dizia: "Uma verdadeira viagem de descobrimento não é encontrar novas terras, mas ter um olhar novo." Jacques Labeyrie sugeriu o seguinte teorema, que submetemos à verificação: "Quando não se encontra solução em uma disciplina, a solução vem de fora da disciplina."

Invasões e migrações interdisciplinares

Contudo, se o caso de Darwin e de Wegener são excepcionais, pode-se dizer de pronto que a história das ciências não se restringe à da constituição e proliferação das disciplinas, mas abrange, ao mesmo tempo, a das rupturas entre as fronteiras disciplinares, da invasão de um problema de uma disciplina por outra, de circulação de conceitos, de formação de disciplinas híbridas que acabam tornando-se autônomas; enfim, é também a história da formação de complexos, onde diferentes disciplinas vão ser agregadas e aglutinadas. Ou seja, se a história oficial da ciência é a da disciplinaridade, uma outra história, ligada e inseparável, é a das inter-poli-transdisciplinaridades.

A "revolução biológica" dos anos 50 nasceu de invasões e contatos, de transferências entre disciplinas à margem da Física, da Química e da Biologia. Foram físicos como Schrödinger que projetaram problemas da termodinâmica e da organização física, no organismo biológico. Em seguida, pesquisadores marginais tentaram descobrir a organização da herança genética a partir das propriedades químicas do DNA. Pode-se dizer que a Biologia Molecular nasceu de concubinagens "ilegítimas". Nos anos 50, ela não tinha nenhum *status* disciplinar e só adquiriu algum, na França, depois que Monod, Jacob e Lwoff receberam o Prêmio Nobel. Então, essa Biologia Molecular tornou-se autônoma; e, por seu turno, depois mostrou tendência a se fechar, a se tornar até imperialista; mas isso, como diria Kipling, é uma outra história...

Migrações

Certas noções circulam e, com freqüência, atravessam clandestinamente as fronteiras, sem serem detectadas pelos "alfandegueiros". Ao contrário da idéia muito difundida de que uma noção pertence apenas ao campo disciplinar em que nasceu, algumas noções migradoras fecundam um novo terreno, onde vão enraizar-se, ainda que à custa de um contra-senso. B. Mandelbrot chega até a dizer que "uma das ferramentas mais poderosas da ciência, a única universal, é o contra-senso manejado por um pesquisador de talento". De fato, um erro em relação a um sistema de referências pode tornar-se uma verdade em relação a outro tipo de sistema. A noção de informação, originada da prática social, adquiriu um sentido científico, preciso, novo, na teoria de Shannon; depois, migrou para a Biologia para se inserir no gene, onde foi associada à noção de código; este, originado da linguagem jurídica, "biologizou-se" na noção de código genético. A Biologia Molecular muitas vezes esquece que, sem essas noções de herança, código, informação, mensagem, de origem antropossociomorfa, a organização viva seria ininteligível.

Mais importantes são as transposições de esquemas cognitivos de uma disciplina para outra: assim, Claude Lévi-Strauss não poderia ter elaborado sua antropologia estrutural sem os freqüentes encontros que teve em Nova York — nos bares, parece — com R. Jakobson, que já havia elaborado a lingüística estrutural; além disso, Jakobson e Lévi-Strauss não se teriam conhecido se ambos não fossem refugiados da Europa: um escapara da Revolução Russa, algumas décadas antes; o outro deixara a França ocupada pelos nazistas. São inúmeras as migrações de idéias e de conceitos, as simbioses e transformações teóricas devidas às migrações de cientistas expulsos das universidades nazistas ou stalinistas. É a própria comprovação de que um poderoso antídoto contra o fechamento e o imobilismo das disciplinas vem dos grandes abalos sísmicos da História (inclusive uma guerra mundial), das convulsões e revoltas sociais, que, por acaso, provocam encontros e trocas que permitem a uma disciplina disseminar uma semente da qual nascerá uma nova disciplina.

Objetos e projetos inter-poli-transdisciplinares

Certos conceitos científicos mantêm a vitalidade porque se recusam ao fechamento disciplinar. Assim acontece com a história da *École des Annales*, que, depois de ter ocupado um espaço marginal na Universidade, agora é extremamente valorizada. A história da *Annales* foi constituída pela transdisciplinaridade e dentro dela: deu lugar a uma profunda penetração da perspectiva econômica e sociológica na História; em seguida, uma segunda geração de historiadores introduziu a perspectiva antropológica, em profundidade, como provam os trabalhos de Duby e Le Goff sobre a Idade Média. A História, assim fecundada, não pode mais ser considerada como uma disciplina *stricto sensu*: é uma ciência histórica multifocalizadora, multidimensional, em que se acham presentes as dimensões de outras ciências humanas, e onde a multiplicidade de perspectivas particulares, longe de abolir, exigem a perspectiva global.

Certos processos de "complexificação" das áreas de pesquisa disciplinar recorrem a disciplinas muito diversas e, ao mesmo tempo, à policompetência do pesquisador: um dos casos mais flagrantes é o da Pré-história, cujo objeto, a partir das descobertas de Leakey, na África Austral (1959), passou a ser a hominização, processo não somente anatômico e técnico, mas também ecológico (a substituição da floresta pela savana), genético, etológico (referente ao comportamento), psicológico, sociológico, mitológico (traços do que poderia constituir um culto dos mortos e crenças em um além). Na linha dos trabalhos de Washburn e de De Vore, a Pré-história de hoje (que se dedica à hominização) refere-se, por um lado, à etologia dos primatas superiores para tentar conceber como se teria dado a passagem de uma sociedade primática avançada para as sociedades dos hominianos; e, por outro lado, à etologia das sociedades arcaicas, ponto de chegada desse processo. A Pré-história recorre cada vez mais a técnicas muito diversas, notadamente para datar os esqueletos e os utensílios, analisar o clima, a fauna, a flora etc. Associando essas diversas disciplinas em sua pesquisa, o pré-historiador torna-se policompetente; e quando Coppens, por exemplo, chega ao término de seu trabalho, a obra resulta na análise das múltiplas dimensões da aventura humana. Atualmente, a Pré-história é uma ciência policompetente e multidisciplinar. Esse exemplo mostra que a constituição de um objeto e de um projeto, ao mesmo tempo interdisciplinar e transdisciplinar, é que permite criar o intercâmbio, a cooperação, a policompetência.

Os esquemas cognitivos reorganizadores

Da mesma maneira, a ciência ecológica é constituída sobre um objeto e um projeto multi e interdisciplinar, a partir do momento da criação (Tansley, 1935), não só do conceito de nicho ecológico, como também do de ecossistema (união de um biotopo e uma biocenose), isto é, a partir do momento em que um conceito organizador de caráter sistêmico permitiu articular conhecimentos diversos (geográficos, geológicos, bacteriológicos, zoológicos e botânicos). A ciência ecológica pôde não somente utilizar os serviços de diferentes disciplinas, mas também criar cientistas policompetentes, que possuem, ademais, a competência dos problemas fundamentais desse tipo de organização.

O exemplo da hominização e o do ecossistema demonstram que, na história das ciências, há rupturas de fechamentos disciplinares, de avanço ou de transformações de disciplinas pela constituição de um novo esquema cognitivo — o que Hanson chamava de *retrodução*. O exemplo da biologia molecular demonstra que esses avanços e transformações podem acontecer pela invenção de novas hipóteses explicativas, o que Peirce chamava de *abdução*. A conjunção das novas hipóteses e do novo esquema cognitivo permite articulações, organizadoras ou estruturais, entre disciplinas isoladas e permite conceber a unidade do que era desunido.

O mesmo acontece com o cosmo, que fora expulso das disciplinas parcelárias e volta, triunfalmente, com o desenvolvimento da astrofísica, depois das observações de Hubble sobre a dispersão das galáxias, em 1930; da descoberta da irradiação isótropa em 1965; e da integração de conhecimentos microfísicos de laboratório para conceber a formação da matéria e a vida dos astros. Desde então, a astrofísica já não é apenas uma ciência nascida da união, cada vez mais sólida, entre física, microfísica e astronomia de observação; é também uma ciência que deu nascimento a um esquema cognitivo cosmológico: o que permite religar, uns aos outros, conhecimentos disciplinares muito distintos, para considerar nosso Universo e sua história e, ao mesmo tempo, introduzir na ciência (renovando o interesse filosófico por este problema chave) o que, até então, parecia partir unicamente da especulação filosófica.

Enfim, há casos extremamente fecundos de hibridação. Talvez um dos momentos mais importantes da história científica tenha a ver com os encontros ocorridos entre engenheiros e matemáticos, primeiro, em plena guerra dos anos 40, e depois, nos anos 50; esses encontros fizeram confluir trabalhos de matemática, inaugurados por Church e Turing, e as pesquisas técnicas para criar máquinas autogovernadas, que levaram à formação do que Wiener chamou de cibernética, integrando a teoria da informação concebida por Shannon e Weaver para a companhia de telefones Bell. Constituiu-se, então, um verdadeiro nó górdio de conhecimentos formais e de conhecimentos práticos, às margens das ciências e no limite entre ciência e engenharia. Esse corpo de idéias e de conhecimentos novos desenvolveu-se para criar o novo reino da informática e da inteligência artificial. Sua irradiação atingiu todas as ciências, naturais e sociais. Von Neumann e Wiener são exemplos típicos da fecundidade das mentes policompetentes, cujas aptidões podem ser aplicadas a diferentes práticas e à teoria fundamental.

Para além das disciplinas

Esses poucos exemplos, apressados, fragmentados, pulverizados, dispersos, têm o propósito de insistir na espantosa variedade de circunstâncias que fazem progredir as ciências, quando rompem o isolamento entre as disciplinas: seja pela circulação de conceitos ou de esquemas cognitivos; seja pelas invasões e interferências, seja pelas complexificações de disciplinas em áreas policompetentes; seja pela emergência de novos esquemas cognitivos e novas hipóteses explicativas; e seja, enfim, pela constituição de concepções organizadoras que permitam articular os domínios disciplinares em um sistema teórico comum.

Hoje, é preciso tomar consciência desse aspecto, o menos elucidado da história oficial das ciências, que é um pouco como a face obscura da lua. Intelectualmente, as disciplinas são plenamente justificáveis, desde que preservem um campo de visão que reconheça e conceba a existência das ligações e das solidariedades. E mais: só serão plenamente justificáveis se não ocultarem realidades globais. Por exemplo, a noção de homem está fragmentada entre diversas disciplinas das ciências biológicas e entre todas as disciplinas das ciências humanas: a física é estudada por um lado, o cérebro, por outro, e o organismo, por um terceiro, os genes, a cultura etc. Esses múltiplos aspectos de uma realidade humana complexa só podem adquirir sentido se, em vez de ignorarem esta realidade, forem religados a ela. Com certeza não é possível criar uma ciência do homem que anule por si só a complexa multiplicidade do que é humano. O importante é não esquecer que o homem existe e não é uma "pura" ilusão de humanistas pré-científicos. Só chegaríamos a um absurdo (de fato, já chegamos a ele em alguns setores das ciências humanas, onde a inexistência do homem foi decretada, dado que este bípede não entra nas categorias disciplinares).

Uma outra consciência é igualmente necessária: a que Piaget chamava de o círculo das ciências, que estabelece a interdependência *de facto* das diversas ciências. As ciências humanas se ocupam do homem; mas este é não apenas um ser físico e cultural, como também um ser biológico, e as ciências humanas, de certa maneira, devem ter raízes nas ciências biológicas, que devem ter raízes nas ciências físicas — nenhuma dessas ciências, evidentemente, é redutível uma à outra. Entretanto, as ciências físicas não constituem o último e principal pilar sobre o qual são edificados todos os outros; essas ciências físicas, por mais fundamentais que sejam, também são ciências humanas, no sentido em que surgem em uma história humana e em uma sociedade humana. A elaboração do conceito de energia é inseparável da "tecnização" e da industrialização das sociedades ocidentais no século XIX. Portanto, em um certo sentido, tudo é físico, mas, ao mesmo tempo, tudo é humano. O grande problema, pois, é encontrar a difícil via da interarticulação entre as ciências, que têm, cada uma delas, não apenas sua linguagem própria, mas também conceitos fundamentais que não podem ser transferidos de uma linguagem à outra.

O problema do paradigma

Finalmente, é preciso estar consciente do problema do paradigma. Um paradigma impera sobre as mentes porque institui os conceitos soberanos e sua relação lógica (disjunção, conjunção, implicação), que governam, ocultamente, as concepções e as teorias científicas, realizadas sob seu império. Ora, hoje em dia, emerge de maneira esparsa um paradigma cognitivo, que começa a conseguir estabelecer pontos entre ciências e disciplinas não comunicantes. De fato, o reino do paradigma da ordem por exclusão da desordem (que exprimiria a concepção determinista-mecanicista do Universo) sofreu fissuras em inúmeros pontos. Em diferentes áreas, a noção de ordem e a noção de desordem, a despeito das dificuldades lógicas que isto acarreta, exigem, cada vez mais instantemente, serem concebidas de modo complementar e não apenas antagônico: no plano teórico, a ligação surgiu com von Neumann (teoria dos autômatos auto-reprodutores) e von Foerster (*order from noise*); impôs-se na termodinâmica de Prigogine, ao demonstrar que fenômenos de organização aparecem em condições de turbulência; instala-se, sob o nome de caos, na meteorologia, e a idéia de caos organizador tornou-se fisicamente central a partir dos trabalhos e reflexões de David Ruelle. Assim, a idéia de que ordem, desordem e organização devem ser pensadas em conjunto surge de diferentes pontos de partida. A missão da ciência não é mais afastar a desordem de suas teorias, mas estudá-la. Não é mais abolir a idéia de organização, mas concebê-la e introduzi-la para englobar disciplinas parciais. Eis por que um novo paradigma talvez esteja nascendo...

O ecodisciplinar e o metadisciplinar

Voltemos aos termos interdisciplinaridade, multidisciplinaridade e transdisciplinaridade, difíceis de definir, porque são polissêmicos e imprecisos. Por exemplo: a interdisciplinaridade pode significar, pura e simplesmente, que diferentes disciplinas são colocadas em volta de uma mesma mesa, como diferentes nações se posicionam na ONU, sem fazerem nada além de afirmar, cada qual, seus próprios direitos nacionais e suas próprias soberanias em relação às invasões do vizinho. Mas interdisciplinaridade pode significar também troca e cooperação, o que faz com que a interdisciplinaridade possa vir a ser alguma coisa orgânica. A multidisciplinaridade constitui uma associação de disciplinas, por conta de um projeto ou de um objeto que lhes sejam comuns; as disciplinas ora são convocadas como técnicos especializados para resolver tal ou qual problema; ora, ao contrário, estão em completa interação para conceber esse objeto e esse projeto, como no exemplo da hominização. No que concerne à transdisciplinaridade, trata-se freqüentemente de esquemas cognitivos que podem atravessar as disciplinas, às vezes com tal virulência, que as deixam em transe. De fato, são os complexos de inter-multi-trans-disciplinaridade que realizaram e desempenharam um fecundo papel na história das ciências; é preciso conservar as noções chave que estão implicadas nisso, ou seja, cooperação; melhor, objeto comum; e, melhor ainda, projeto comum.

Enfim, o importante não é apenas a idéia de inter- e de transdisciplinaridade. Devemos "ecologizar" as disciplinas, isto é, levar em conta tudo que lhes é contextual, inclusive as condições culturais e sociais, ou seja, ver em que meio elas nascem, levantam problemas, ficam esclerosadas e transformam-se. É necessário também o "metadisciplinar"; o termo "meta" significando ultrapassar e conservar. Não se pode demolir o que as disciplinas criaram; não se pode romper todo o fechamento: há o problema da disciplina, o problema da ciência, bem como o problema da vida; é preciso que uma disciplina seja, ao mesmo tempo, aberta e fechada.

Afinal, de que serviriam todos os saberes parciais senão para formar uma configuração que responda a nossas expectativas, nossos desejos, nossas interrogações cognitivas? Deve-se pensar também que o que está além da disciplina é necessário à disciplina para que não seja automatizada e esterilizada; o que nos remete a um imperativo cognitivo, já formulado há três séculos por Blaise Pascal, que justifica as disciplinas e conserva, ao mesmo tempo, um ponto de vista metadisciplinar: "Uma vez que todas as coisas são causadas e causadoras, ajudadas e ajudantes, mediatas e imediatas, e todas estão presas por um elo natural e imperceptível, que liga as mais distantes e as mais diferentes, considero impossível conhecer as partes sem conhecer o todo, tanto quanto conhecer o todo sem conhecer, particularmente, as partes."

De alguma forma, ele convidava a um conhecimento em movimento, a um conhecimento em vaivém, que progride indo das partes ao todo e do todo às partes; o que é nossa ambição comum.

ANEXO 2

A noção de sujeito

"Agir, viver, conservar o ser, essas três palavras significam a mesma coisa."

ESPINOSA

"A substância viva é o ser que é sujeito em verdade."

HEGEL

ESSA É UMA NOÇÃO ao mesmo tempo evidente e misteriosa. É uma evidência perfeitamente banal, uma vez que qualquer um diz "Eu". Quase todas as línguas têm essa primeira pessoa do singular; se não têm o pronome, têm pelo menos o verbo na primeira pessoa do singular, como em latim. E há uma segunda evidência reflexiva, revelada por Descartes: *Não posso duvidar que duvido; logo, eu penso. Se penso, logo, eu sou, isto é, eu existo na primeira pessoa como sujeito.* Então surge o mistério: o que é este "eu" e este "sou", que não é simplesmente "é"?

Será uma aparência secundária ou uma realidade fundamental? É uma realidade fundamental para qualquer tradição filosófica. É o que parece, também, quando Moisés pergunta ao Ser que lhe surge sob a forma de uma sarça ardente: "Mas quem és tu?" A resposta — pelo menos tal como é traduzida em francês* — é: "Eu sou aquele que é." Significa que o Deus de Moisés é a subjetividade absoluta.

Mas, por outro lado, quando se procura considerar a sociedade e o sujeito de forma determinista, então o sujeito desaparece.

* Igualmente em português. (N. da T.)

De fato, nossa mente está dividida em dois, conforme olhemos o mundo de modo reflexivo ou compreensivo, ou de modo científico e determinista. O sujeito aparece na reflexão sobre si mesmo e conforme um modo de conhecimento intersubjetivo, de sujeito a sujeito, que podemos chamar de compreensão. Contrariamente, ele desaparece no conhecimento determinista, objetivista, reducionista sobre o homem e a sociedade. De alguma forma, a ciência expulsou o sujeito das ciências humanas, na medida em que propagou entre elas o princípio determinista e redutor. O sujeito foi expulso da Psicologia, expulso da História, expulso da Sociologia; e, pode-se dizer, o ponto comum às concepções de Althusser, Lacan, Lévi-Strauss foi o desejo de liquidar o sujeito humano.

Entretanto, entre os pensadores do ser estruturalista, houve uma volta tardia ao sujeito, como em Foucault, em Barthes; mas foi uma volta existencial, que acompanhou a volta do *eros*, a volta da literatura, e não uma volta do sujeito ao âmago da teoria.

O que eu gostaria de propor é uma definição do sujeito, partindo não da afetividade, não do sentimento, mas de uma base bio-lógica.

Para esta definição, é preciso admitir um certo número de idéias que hoje começam a ser introduzidas no campo científico. Primeiramente, a idéia de autonomia inseparável da idéia de auto-organização.

A autonomia de que falo não é mais uma liberdade absoluta, emancipada de qualquer dependência, mas uma autonomia que depende de seu meio ambiente, seja ele biológico, cultural ou social. Assim, um ser vivo, para salvaguardar sua autonomia, trabalha, despende energia, e deve, obviamente, abastecer-se de energia em seu meio, do qual depende. Quanto a nós, seres culturais e sociais, só podemos ser autônomos a partir de uma dependência original em relação à cultura, em relação a uma língua, em relação a um saber. A autonomia não é possível em termos absolutos, mas em termos relacionais e relativos.

Em segundo lugar, precisamos do conceito de indivíduo como pré-requisito ao conceito de sujeito. Ora, a noção de indivíduo não é absolutamente fixa e estável. Como sabem, houve duas tendências contrárias na história do pensamento biológico: para uma delas a única realidade é o indivíduo, porque, fisicamente, vemos apenas indivíduos, nunca a espécie; para a outra, a única realidade é a espécie, já que os indivíduos não passam de amostras efêmeras. Conforme um certo olhar, o indivíduo desaparece; conforme um outro olhar, é a espécie que desaparece. Essas duas visões negam-se reciprocamente. Mas acredito que devemos tratar as duas da mesma maneira que Niels Bohr tratava a onda e o corpúsculo: são duas noções aparentemente antagônicas, que são, no entanto, complementares para dar conta de uma mesma realidade.

Eis, portanto, uma perspectiva que nos leva a procurar um elo complexo entre indivíduo e espécie; e podemos aplicar o mesmo raciocínio à relação indivíduo/sociedade.

Do ponto de vista biológico, o indivíduo é o produto de um ciclo de reprodução; mas este produto é, ele próprio, reprodutor em seu ciclo, já que é o indivíduo que, ao se acasalar com indivíduo de outro sexo, produz esse ciclo. Somos, portanto, produtos e produtores, ao mesmo tempo. Assim também, quando se considera o fenômeno social, são as interações entre indivíduos que produzem a sociedade; mas a sociedade, com sua cultura, suas normas, retroage sobre os indivíduos humanos e os produz enquanto indivíduos sociais dotados de uma cultura.

Assim, temos agora uma noção bastante complexa da autonomia e do indivíduo; falta-nos a noção de sujeito. Para chegar à noção de sujeito, é preciso pensar que toda organização biológica necessita de uma dimensão cognitiva. Os genes constituem um patrimônio hereditário de natureza cognitiva/informacional da célula. Da mesma maneira, o ser vivo, seja ele dotado ou não de um sistema neurocerebral, retira informações de seu meio ambiente e exerce uma atividade cognitiva inseparável de sua prática de ser vivo. Ou seja, a dimensão cognitiva é indispensável à vida.

Essa dimensão cognitiva pode ser chamada de computacional. A computação é o tratamento de estímulos, de dados, de signos, de símbolos, de mensagens, que nos permite agir dentro do universo exterior, assim como de nosso universo interior, e conhecê-los.

E isto é fundamental: a natureza da noção do sujeito tem a ver com a natureza singular de sua computação, desconhecida por qualquer computador artificial que possamos fabricar. Essa computação do ser individual é a computação que cada um faz de si mesmo, por si mesmo e para si mesmo. É um *cômputo*. O cômputo é o ato pelo qual o sujeito se constitui posicionando-se no centro de seu mundo para lidar com ele, considerá-lo, realizar nele todos os atos de preservação, proteção, defesa etc.

Eu diria, portanto, que a primeira definição do sujeito seria o egocentrismo, no sentido literal do termo: posicionar-se no centro de seu mundo. De resto, o "Eu", como já observamos várias vezes, é o pronome que qualquer um pode dizer, mas ninguém pode dizê-lo em meu lugar. O "Eu" é o ato de ocupação de um espaço que se torna centro do mundo. E, quanto a isso, diria que há um princípio "logístico" de identidade, que pode ser resumido na fórmula: "Eu [*je*] sou eu [*moi*]"*. "Eu" [*je*] é o ato de ocupação do espaço egocêntrico; "eu" [*moi*] é a objetivação do ser que ocupa esse espaço. "Eu [*je*] sou eu [*moi*]" é o princípio que permite estabelecer, a um só tempo, a diferença entre o "Eu" (subjetivo) e o "eu" (sujeito objetivado), e sua indissolúvel identidade. Ou seja, a identidade do sujeito comporta um princípio de distinção, de diferenciação e de reunificação. Esse princípio bastante complexo é absolutamente indispensável, pois permite qualquer tratamento objetivo de si mesmo. Quando uma bactéria trata de suas moléculas, ela as trata como objetos, mas trata como objetos que lhe pertencem. E trata de si mesma, para si mesma.

---

* No original, *Je suis moi*. A escola francesa de Psicanálise costuma utilizar o *je* no sentido de instância psicanalítica encarregada de funções; o *moi* refere-se precisamente a uma representação da imagem que o sujeito tem de "si mesmo" (ou de seu sentimento de identidade), o ego. Aqui utilizamos "Eu" e "eu" para traduzir, respectivamente, *je* e *moi*. (N. da T.)

Eis, portanto, um princípio que, por esta separação/unificação do "Eu" subjetivo e do "eu" objetivo, permite efetivamente todas as operações. Este princípio comporta a capacidade de se referir ao mesmo tempo a "si" (auto-referência) e ao mundo exterior (exo-referência) — de distinguir, portanto, o que é exterior a si. "Auto-exo-referência" quer dizer que eu posso distinguir entre o "eu" e o "não-eu", o "Eu" e o "não-Eu", bem como entre o "eu" e os outros "eu", o "Eu" e os outros "Eu". Aliás, nós, humanos, temos dois níveis de subjetividade: temos nossa subjetividade cerebral, mental, da qual vou falar; e temos a subjetividade de nosso organismo, protegida por nosso sistema imunológico. O sistema imunológico opera a distinção entre o "si" e o "não-si"; quer dizer, entre as entidades moleculares que não têm a carteira de identidade singular do indivíduo e são rejeitadas, perseguidas, vencidas, enquanto as que possuem a carteira de identidade são aceitas, reconhecidas e protegidas. Portanto, a distinção radical imediata do "si", do "não-si", do "eu" e dos "outros" distribui valores concomitantemente: tudo o que vem do "eu", do "si", do "Eu" é valorizado e deve ser protegido, defendido; o resto é indiferente ou combatido. Eis o primeiro princípio de identidade do sujeito que permite a unidade subjetiva/objetiva do "Eu sou eu" e a distinção entre o exterior e o interior.

Há um segundo princípio de identidade, *inseparável*, que é: "Eu" continua o mesmo a despeito das modificações internas do "eu" (mudança de caráter, de humor), do "si mesmo" (modificações físicas devidas à idade). De fato, o indivíduo modifica-se somaticamente do nascimento à morte. Todas as suas moléculas são substituídas inúmeras vezes, assim como a maioria de suas células. Há modificações extremas no interior do "eu", e chegarei a elas. A despeito disso tudo, o sujeito continua o mesmo. Ele diz simplesmente: "Eu era criança", "Eu estava irado", mas é sempre o mesmo "Eu", ao passo que os caracteres exteriores ou físicos do indivíduo se modificam. Aí está o segundo princípio de identidade, esta permanência da auto-referência, apesar das transformações e através das transformações.

A esse respeito, chegaremos a um terceiro e a um quarto princípios: um princípio de exclusão e um princípio de inclusão, que estão ligados de forma inseparável. O princípio de exclusão pode ser assim enunciado: se pouco importa quem possa dizer "Eu", ninguém pode dizê-lo em meu lugar. Portanto o "Eu" é único para cada um. Vemos isso no caso dos gêmeos homozigotos: não há qualquer singularidade somática que os diferencie, são exatamente idênticos geneticamente, mas são não só dois indivíduos, mas também dois sujeitos distintos. É confortável ter uma cumplicidade, um código comum, intuições recíprocas, mas nenhum dos gêmeos diz "Eu" no lugar do outro. Este é o princípio de exclusão.

Já o princípio de inclusão é, ao mesmo tempo, complementar e antagônico. Posso inscrever um "nós" em meu "Eu", como eu posso incluir meu "Eu" em um "nós": assim, posso introduzir, em minha subjetividade e minhas finalidades, os meus, meus parentes, meus filhos, minha família, minha pátria. Posso incluir em minha subjetividade aquela (aquele) que amo e dedicar meu "Eu" ao amor, seja à pessoa amada, seja à pátria comum. Evidentemente, existe antagonismo entre inclusão e exclusão. Como exemplo, temos as mães que se sacrificam por sua prole e dão suas vidas para salvá-la e as mães que abandonam ou comem seus filhos para salvar a si próprias. Temos o patriota que vai sacrificar-se por sua pátria e temos o desertor que vai salvar sua própria pele. Ou seja, temos todos, em nós, este duplo princípio que pode ser diferentemente modulado, distribuído; ou seja, *o sujeito oscila entre o egocentrismo absoluto e a devoção absoluta.*

O princípio de inclusão é tão fundamental quanto os outros princípios. Supõe, para os humanos, a possibilidade de comunicação entre os sujeitos de uma mesma espécie, de uma mesma cultura, de uma mesma sociedade.

Além disso, há a tomada de posse do sujeito por um "superego". Aqui, uso como imagem esta tese de Julian Jaynes, em *La Naissance de la conscience dans l'effondrement de l'esprit bicaméral*[1] (*O nasci-*

[1] Traduzido do inglês por G. Gaborit de Montjou, PUF, 1994.

mento da consciência no desmoronamento da mente bicameral). Segundo sua teoria, os indivíduos dos impérios da Antigüidade possuíam duas câmaras em suas mentes. Uma câmara era a da subjetividade pessoal, das ocupações, da família, dos filhos, de tudo o que lhes concernia enquanto indivíduos privados. A outra câmara era ocupada pelo poder teocrático-político, pelo rei, pelo império, e, quando o poder falava, o indivíduo-sujeito era possuído e obedecia às injunções desta segunda câmara. E, segundo Jaynes, a consciência nasce no momento em que se abre uma brecha entre as duas câmaras, que, assim, podem se comunicar. Então, o indivíduo sujeito pode dizer a si mesmo: "Mas o que é a cidade, o que é a política?" E, eventualmente, tornar-se cidadão.

É preciso destacar, aqui, algo de muito importante: no "Eu sou eu" já existe uma dualidade implícita — em seu ego, o sujeito é potencialmente outro, sendo, ao mesmo tempo, ele mesmo. *É porque o sujeito traz em si mesmo a alteridade que ele pode comunicar-se com outrem.* É por ser o produto unitário de uma dualidade (reprodução por cisão, nos unicelulares; por encontro de dois seres de sexos diferentes, na maioria dos seres vivos) que ele traz em si a atração por um outro *ego.* A compreensão permite considerar a outro não apenas como *ego alter*, um outro indivíduo sujeito, mas também como *alter ego*, um outro eu mesmo, com quem me comunico, simpatizo, comungo. O princípio de comunicação está, pois, incluído no princípio de identidade e manifesta-se no princípio de inclusão.

Como conseqüência do princípio de exclusão, há sempre uma incomunicabilidade do que existe de mais subjetivo em nós; mas, graças à linguagem, podemos comunicar, pelo menos, nossa incomunicabilidade.

Podemos, pois, enunciar que a qualidade própria a todo indivíduo sujeito não poderia ser reduzida ao egoísmo; ao contrário, ela permite a comunicação e o altruísmo.

Claro, o sujeito possui também um caráter existencial, porque é inseparável do indivíduo, que vive de maneira incerta, aleatória, e acha-se, do nascimento à morte, em um meio ambiente incerto, muitas vezes ameaçador e hostil.

Agora, posso me referir a esta idéia de MacLean sobre o cérebro do ser humano. É um cérebro triúnico; tal como na Santíssima Trindade há três seres que são distintos, sendo, simultaneamente, o mesmo; tal como possuímos um cérebro réptil ou paleocéfalo, que é a sede de nossos impulsos mais elementares: a agressividade, o cio; possuímos um cérebro mamífero, com o sistema límbico, que permite o desenvolvimento da afetividade; enfim, temos o córtex e, sobretudo, o neocórtex, que desenvolveu incrivelmente o cérebro do *Homo sapiens* e é a sede das operações da racionalidade. Temos, portanto, essas três instâncias. O interessante é que não há hierarquia estável entre as três: não é a razão que comanda os sentimentos e controla os impulsos. Podemos ter uma permuta de hierarquias e talvez nossa agressividade utilize nossas capacidades racionais para atingir seus fins. Há uma extraordinária instabilidade, uma hierarquia permutativa entre as três instâncias, mas o notável é que o "Eu" ora é ocupado pelo doutor Jekyll, ora por Mister Hyde. Nos casos de duplicação de personalidade, temos duas pessoas inteiramente diferentes, que têm escritas diferentes, caracteres diferentes, às vezes até doenças diferentes, e a pessoa que domina é a que diz "Eu", isto é, a que ocupa o lugar do sujeito. E digo mais: o que chamamos de nossas mudanças de humor são modificações de personalidade. Não apenas desempenhamos papéis diferentes, mas também somos tomados por personalidades diferentes durante todo o percurso de nossa vida. Cada um de nós é uma sociedade de várias personalidades. Mas há este "Eu" subjetivo, esta espécie de ponto fixo, que é ocupado ora por uma, ora por outra.

Quando se observa a concepção clássica do "eu" [*moi*] (ego) segundo Freud, esse "eu" nasceu da dialética entre o "isso" instintivo, que vem das entranhas biológicas, e o "superego", que, para Freud, é a autoridade paterna, mas que pode transformar-se em um "superego" mais amplo, o da pátria, da sociedade. Esse "eu" está em incessante dialética com o "isso" e o "superego". Aí também há um problema de ocupação. Quando somos possuídos pelo "superego", continuamos a dizer "Eu", da mesma maneira que dizemos "Eu" quando perseguimos fins meramente egoístas. Vocês dizem "Eu" quando estão mergulhados nas mais austeras operações intelectuais e dizem igualmente "Eu" quando se entregam às mais desbragadas brincadeiras eróticas.

O "Eu", enquanto "Eu", emerge tardiamente na experiência da humanidade. Como sabem, as crianças falam primeiro na terceira pessoa. Podemos dar um valor, pelo menos simbólico, ao que Lacan chamara de o "estádio do espelho", momento muito importante para a constituição da identidade do sujeito: ele objetiva um "eu" [*moi*] que não é outro senão o "Eu" que olha, e, nesse estádio, opera-se a ligação entre a imagem objetiva e o ser subjetivo. Em meu livro *O homem e a morte*, insisti na forte presença do "duplo" na humanidade arcaica: o duplo, espectro objetivo e imaterial de seu próprio ser, acompanha-o incessantemente e é reconhecido na sombra, no reflexo. É o duplo que perambula nos sonhos enquanto o corpo fica imóvel. Esse duplo é, pois, uma experiência da vida quotidiana antes de ser o *ghost* (fantasma), que vai se libertar com a morte, enquanto o corpo vai se decompor. O duplo é um modo cristalizado da experiência do "Eu sou eu", em que o "eu" assume, a princípio, justamente a forma desse gêmeo real, mas imaterial. Esse duplo vai interiorizar-se; nas sociedades históricas, dará nascimento à alma, sendo a alma, aliás, muito freqüentemente relacionada ao sopro, como entre os gregos e os hebreus. A "alma", o "espírito" são maneiras de nomear, de representar a interioridade subjetiva em termos que designam uma realidade objetiva específica. Podemos dizer de qualquer um: "Ele não tem alma", e compreende-se o que isso quer dizer. Portanto, temos diferentes modos de nomear essa realidade subjetiva, que, para nós, não está estritamente limitada ao "Eu" e ao "eu", mas, justamente nesta dialética entre o "Eu" e o "eu", assume a forma de alma e de espírito, e ressurge com o que chamamos de a "consciência".

E é aí que a definição de sujeito, que lhes proponho, é inteiramente diversa da que define o sujeito pela consciência. A consciência, em minha concepção, é a emergência última da qualidade do sujeito. É uma emergência reflexiva, que permite o retorno da mente a si mesma, em circuito. A consciência é a qualidade humana última e, sem dúvida, a mais preciosa, pois o que é último é, ao mesmo tempo, o que há de melhor e de mais frágil. E, de fato, a consciência é extremamente frágil e, em sua fragilidade, pode enganar-se muitas vezes.

Claro, a afetividade para nós está estreitamente ligada à subjetividade. A afetividade se desenvolve nos mamíferos dos quais herdamos a extrema instabilidade: os macacos, por exemplo, têm temperamentos muito violentos, passam da cólera à mansidão etc. Somos herdeiros da afetividade dos mamíferos e a desenvolvemos. A afetividade, portanto, está humanamente ligada à idéia de sujeito, mas esta não é a qualidade originária. Contudo, acredita-se — na falta de uma teoria bio-lógica do sujeito — que a subjetividade seja um componente afetivo que deva ser abolido para se chegar a um conhecimento correto. Mas a subjetividade humana não é redutível à afetividade que ela comporta, tanto quanto não é redutível à consciência.

Agora, é preciso examinar o elo entre a idéia de sujeito e a idéia de liberdade. A liberdade supõe, ao mesmo tempo, a capacidade cerebral ou intelectual de conceber e fazer escolhas, e a possibilidade de operar essas escolhas dentro do meio exterior. Sem dúvida há casos em que se pode perder toda a liberdade exterior, estar numa prisão, mas conservar a liberdade intelectual.

O sujeito pode, eventualmente, dispor de liberdade e exercer liberdades. Mas existe toda uma parte do sujeito que não é apenas dependente, mas submissa. E, de resto, não sabemos realmente quando somos livres.

Então, há um primeiro princípio de incerteza, que seria o seguinte: eu falo, mas, quando falo, quem fala? Sou "Eu" só quem fala? Será que, por intermédio do meu "eu", é um "nós" que fala (a coletividade calorosa, o grupo, a pátria, o partido a que pertenço)?

Será um "pronome indefinido" que fala (a coletividade fria, a organização social, a organização cultural que dita meu pensamento, sem que eu saiba, por meio de seus paradigmas, seus princípios de controle do discurso que aceito inconscientemente)? Ou é um "isso", uma máquina anônima infrapessoal, que fala e me dá a ilusão de que fala de mim mesmo? Nunca se sabe até que ponto "Eu" falo, até que ponto "Eu" faço um discurso pessoal e autônomo, ou até que ponto, sob a aparência que acredito ser pessoal e autônoma, não faço mais que repetir idéias impressas em mim.

Contrariamente aos dois dogmas em oposição — para um, o sujeito é nada; para o outro, o sujeito é tudo —, o sujeito oscila entre o tudo e o nada. Eu sou tudo para mim, não serei nada no Universo. O princípio do egocentrismo é o princípio pelo qual eu sou tudo; mas já que todo o meu mundo se desintegrará com a minha morte, justamente por essa mortalidade, eu sou nada. O "Eu" é um privilégio inaudito e, ao mesmo tempo, a coisa mais banal, porquanto todo mundo pode dizer "Eu". Da mesma forma, o sujeito oscila entre o egoísmo e o altruísmo. No egoísmo, eu sou tudo, e os outros são nada; mas, no altruísmo, eu me dou, me devoto, sou inteiramente secundário para aqueles aos quais me dou. O indivíduo sujeito recusa a morte que o devora; e, no entanto, é capaz de oferecer sua vida por suas idéias, pela pátria ou pela humanidade. Aí está a complexidade própria da noção de sujeito.

Uma grande parte, a parte mais importante, a mais rica, a mais ardorosa da vida social, vem das relações intersubjetivas. Cabe até dizer que o caráter intersubjetivo das interações no meio da sociedade, o qual tece a própria vida dessa sociedade, é fundamental. Para conhecer o que é humano, individual, interindividual e social, é preciso unir explicação e compreensão. O próprio sociólogo não é uma mente apenas objetiva; ele faz parte do tecido intersubjetivo. Ao mesmo tempo, é preciso reconhecer que, potencialmente, todo sujeito é não apenas ator, mas autor, capaz de cognição/escolha/decisão. A sociedade não está entregue somente, sequer principalmente, a determinismos materiais; ela é um mecanismo de confronto/cooperação entre indivíduos sujeitos, entre os "nós" e os "Eu".

Para concluir, o sujeito não é uma essência, não é uma substância, mas não é uma ilusão. Acredito que o reconhecimento do sujeito exige uma reorganização conceptual que rompa com o princípio determinista clássico, tal como ainda é utilizado nas ciências humanas, notadamente, sociológicas. No quadro de uma psicologia behaviorista, é impossível, claro, conceber um sujeito. Portanto, precisa-se de uma reconstrução, precisa-se das noções de autonomia/dependência; da noção de individualidade, da noção de autoprodução, da concepção de um elo recorrente, onde estejam, ao mesmo tempo, o produto e o produtor. É preciso também associar noções antagônicas, como o princípio de inclusão e exclusão. É preciso conceber o sujeito como aquele que dá unidade e invariância a uma pluralidade de personagens, de caracteres, de potencialidades. Isso, porque, se estamos sob a dominação do paradigma cognitivo, que prevalece no mundo científico, o sujeito é invisível, e sua existência é negada. No mundo filosófico, ao contrário, o sujeito torna-se transcendental, escapa à experiência, vem do puro intelecto e não pode ser concebido em suas dependências, em suas fraquezas, em suas incertezas. Em ambos os casos, suas ambivalências, suas contradições não podem ser pensadas nem sua centralidade e sua insuficiência, seu sentido e sua insignificância, seu caráter de tudo e nada a um só tempo. Precisamos, portanto, de uma concepção complexa do sujeito.

Este livro foi composto na tipografia
Minion Pro, em corpo 10,5/15, e impresso em
papel off-white no Sistema Digital Instant Duplex
da Divisão Gráfica da Distribuidora Record.